D1430553

Mon enfant joue et apprend

Illustrations : Jack Lindstrom
Correction : Anne-Marie Théorêt

**Catalogage avant publication de
Bibliothèque et Archives Canada**

Penny Warner
    Mon enfant joue et apprend : 150 jeux et activités pour les
    enfants de 3 à 6 ans
    Traduction de : Preschooler Play & Learn

1 Éducation préscolaire – Méthodes actives. 2. Jeu.
3. Jeux éducatifs. I. Titre.

LB1140.35.P55W3714 2005   372.133'7   C2005-941118-X

Pour en savoir davantage sur nos publications,
visitez notre site : **www.edhomme.com**
Autres sites à visiter : www.edjour.com
www.edtypo.com ▪ www.edvlb.com
www.edhexagone.com ▪ www.edutilis.com

DISTRIBUTEURS EXCLUSIFS :

▪ Pour le Canada et les États-Unis :
MESSAGERIES ADP*
955, rue Amherst
Montréal, Québec H2L 3K4
Tél. : (514) 523-1182
Télécopieur : (450) 674-6237
* Filiale de Sogides ltée

▪ Pour la France et les autres pays :
INTERFORUM
Immeuble Paryseine, 3, Allée de la Seine
94854 Ivry Cedex
Tél. : 01 49 59 11 89/91
Télécopieur : 01 49 59 11 96
Commandes : Tél. : 02 38 32 71 00
                Télécopieur : 02 38 32 71 28

▪ Pour la Suisse :
INTERFORUM SUISSE
Case postale 69 - 1701 Fribourg - Suisse
Tél. : (41-26) 460-80-60
Télécopieur : (41-26) 460-80-68
Internet : www.havas.ch
Email : office@havas.ch
DISTRIBUTION : OLF SA
Z.I. 3, Corminbœuf
Case postale 1061
CH-1701 FRIBOURG
Commandes : Tél. : (41-26) 467-53-33
                Télécopieur : (41-26) 467-54-66
                Email : commande@ofl.ch

▪ Pour la Belgique et le Luxembourg :
INTERFORUM BENELUX
Boulevard de l'Europe 117
B-1301 Wavre
Tél. : (010) 42-03-20
Télécopieur : (010) 41-20-24
http://www.vups.be
Email : info@vups.be

10-05

L'ouvrage original a été publié
par Meadowbrook Press
sous le titre *Preschooler Play & Learn*

Dépôt légal : 3e trimestre 2005
Bibliothèque nationale du Québec

ISBN 2-7619-2125-9

Gouvernement du Québec – Programme de crédit d'impôt pour
l'édition de livres – Gestion SODEC – www.sodec.gouv.qc.ca

L'Éditeur bénéficie du soutien de la Société de développement des entreprises culturelles du Québec pour son
programme d'édition.

Nous reconnaissons l'aide financière du gouvernement du
Canada par l'entremise du Programme d'aide au
développement de l'industrie de l'édition (PADIÉ) pour nos
activités d'édition.

Penny
Warner

Mon enfant
joue et apprend

150 jeux et activités pour les enfants de

3 à 6 ans

*Traduit de l'américain
par Louise Chrétien et Marie-Josée Chrétien*

INTRODUCTION

Bienvenue dans le monde des jeux éducatifs! Maintenant que votre enfant n'est plus un bébé, il est prêt à apprendre tout en s'amusant! Pour un enfant d'âge préscolaire, un adulte attentionné, que ce soit sa maman, son papa ou la personne qui en prend soin, est le jouet le plus merveilleux qui soit! Naturellement, une personne est plus efficace qu'un jouet pour apprendre des choses à un enfant. Si vous jouez et interagissez avec votre enfant, vous l'aiderez à progresser dans tous les aspects de son développement.

Croissance physique

- *Motricité globale*: Le corps de votre enfant devient plus souple. Ses bras et ses jambes s'allongent et se renforcent, de sorte qu'il est capable de s'adonner à un plus grand nombre d'activités faisant appel à sa motricité globale, comme courir, sauter, grimper, se rouler sur le sol, se balancer, se promener en tricycle – et même faire du patin et du ski!
- *Motricité fine*: À mesure que les doigts de votre enfant s'affinent et s'allongent, il acquiert la dextérité manuelle dont il a besoin pour faire des choses comme dessiner, colorier, manger, s'habiller, attacher ses lacets et se brosser les dents.
- *Coordination et équilibre*: Votre enfant acquiert peu à peu une meilleure coordination et un meilleur équilibre, ce qui lui ouvre de nouvelles avenues. Il peut commencer à s'adonner à des sports et des activités simples, et même à des jeux plus avancés.

PARENTS: Nous vous suggérons toute une foule d'idées pour aider votre enfant à développer ses habiletés physiques. Il y a des jeux énergiques qui favorisent le développement de la motricité globale, des activités créatives pour développer la motricité fine et des tâches simples pour développer la coordination.

Développement des habiletés cognitives

- *Raisonnement*: En grossissant, le cerveau d'un enfant se développe et se spécialise progressivement, de sorte que sa capacité de raisonnement et de résolution de problèmes augmente énormément. L'enfant devient capable de raisonner concrètement et de chercher des solutions à divers problèmes; en outre, sa mémoire se développe, ce qui signifie qu'il se rappelle les choses plus en détail et pendant plus longtemps.

PARENTS: Nous vous aiderons à faire faire à votre enfant des tâches intéressantes qui stimulent le développement de son cerveau et lui permettent d'apprendre à raisonner tout en s'amusant.

Développement des compétences langagières

- *Pensée symbolique*: Les compétences langagières de votre enfant explosent littéralement pendant cette période. À mesure qu'il progresse sur le plan cognitif, il commence à penser de manière symbolique en se servant du langage. Il substitue des mots à des images et des gestes, et il saisit la signification de centaines de concepts. Il emploie des mots pour faire connaître ses besoins, exprimer ses sentiments et interagir socialement.
- *Vocabulaire*: À l'âge de 6 ans, votre enfant aura un vocabulaire de plus de 10 000 mots; il comprendra les règles de grammaire de base et enrichira son vocabulaire de 6 à 10 nouveaux mots par jour.

PARENTS: Nous vous suggérons de nombreuses techniques pour stimuler les compétences langagières de votre enfant à l'aide de jeux, de sujets de conversation intéressants, de rimes simples et d'activités répétitives. Nous vous proposons en outre des tâches d'initiation à la lecture et à l'écriture qui aideront votre enfant à réussir à l'école.

Développement psychologique

- *Conscience de soi*: À mesure que votre enfant se développe physiquement et intellectuellement, il prend peu à peu conscience de son identité. Il reconnaît les parties de son corps, exhibe fièrement ses jouets, dessine des images simples de lui-même et de sa famille et aime dire son nom et son âge.
- *Confiance en soi et estime de soi*: Avec la conscience de soi vient la confiance en soi, qui conduit à son tour à l'estime de soi. À mesure que votre enfant apprend à mieux se connaître, il acquiert suffisamment de confiance en lui-même pour faire des essais, prendre des risques et mener à bien diverses tâches de plus en plus difficiles. Chaque succès rehausse l'estime qu'il a de lui-même, ce qui l'amène à relever sans cesse de nouveaux défis et à connaître des réussites.

PARENTS: Nous vous proposons des façons amusantes d'aider votre enfant à mieux se connaître par l'intermédiaire d'activités physiques, artistiques ou interactives. Nous vous proposons aussi des trucs qui favorisent la confiance en soi et l'estime de soi, notamment des jeux interactifs et des activités axées sur le succès.

Expression des émotions

- *Communication des émotions*: Sur le plan psychologique, votre enfant a dépassé depuis longtemps le stade où ses pleurs étaient un réflexe. Il est maintenant beaucoup plus apte à exprimer ses sentiments, ses désirs et ses besoins. Il commence à comprendre ses émotions et à mieux les contrôler, et il arrive à mieux exprimer ses sentiments par le langage, les arts plastiques et les activités artistiques.

PARENTS : Nous vous suggérons des tas de trucs pour aider votre enfant à exprimer ses émotions positivement. Comme tout enfant adore jouer à faire semblant, nous vous suggérons des activités pour aider votre enfant à exprimer, canaliser et extérioriser ses sentiments dans des activités et des saynètes imaginaires.

Habiletés sociales

- *Interaction sociale* : Les habiletés sociales de votre enfant se développent à mesure qu'il vient en contact avec un plus grand nombre de personnes à la maison, dans son quartier et dans la collectivité en général. Comme il est crucial qu'un enfant apprenne à bien s'entendre avec les autres en toutes circonstances, votre enfant devrait passer beaucoup de temps avec ses amis et ses pairs.

PARENTS : Vous trouverez sûrement plein d'activités adaptées à l'âge de votre enfant pour l'aider à développer ses habiletés sociales. À cet égard, les jeux basés sur le partage et la coopération sont très efficaces.

En procurant à un enfant un environnement pédagogique stimulant, tout adulte attentionné, que ce soit sa maman, son papa ou la personne qui en prend soin, peut l'aider à développer son plein potentiel. N'oubliez pas :

1. Votre enfant apprend en s'amusant, surtout si vous jouez activement avec lui.
2. Vous êtes la meilleure personne pour enseigner des choses à votre enfant, et vous pouvez rendre ses apprentissages amusants.
3. Prenez plaisir à passer du temps avec votre enfant. Vous y gagnerez au change, et à bien plus d'égards que vous ne l'imaginez.

Quelques idées stimulantes, un peu de matériel d'artiste et du temps pour vous amuser ensemble – voilà tout ce qu'il vous faut ! Nous sommes là pour vous aider. Dans *Mon enfant joue et apprend*, vous trouverez :

- 150 jeux et activités qui procureront à votre enfant des heures de plaisir et de satisfaction ;
- l'âge recommandé pour chaque jeu et chaque activité ;
- la liste du matériel, toujours facile à trouver, dont vous avez besoin pour chaque jeu et chaque activité ;
- des instructions détaillées pour chaque jeu et chaque activité ;
- des variations pour augmenter le plaisir de votre enfant et rehausser ses apprentissages ;
- des conseils de sécurité qui éviteront à votre enfant de se blesser en jouant ;

- une liste des habiletés que votre enfant peut acquérir en faisant les jeux et les activités suggérés.

Amusez-vous avec votre enfant d'âge préscolaire! Cette période est tellement courte! Prenez plaisir à observer les changements qui s'opèrent en lui! Voyez-le passer de la maladresse à la grâce! Voyez-le progresser des premiers balbutiements à la compétence langagière! Voyez votre bébé égocentrique devenir un petit être humain socialisé! Le lien que vous établirez avec votre enfant pendant ces années durera pour toujours.

3 ANS À 3 ½ ANS

Bienvenue dans le monde des jeux éducatifs! Une fois passé le stade de la petite enfance, votre enfant grandit et s'étire. En plus de ces changements dans son corps, vous observerez aussi des changements considérables dans ses habiletés physiques :

- La coordination motrice de votre enfant se raffine à mesure qu'il utilise ses bras, ses jambes, ses mains et ses doigts pour exécuter des tâches particulières. Fournissez-lui de nombreuses occasions d'exercer sa motricité globale et sa motricité fine tant au grand air que dans la maison.
- En plus de devenir de plus en plus habile physiquement, votre enfant développe l'assurance voulue pour essayer de nouvelles choses – et il pense qu'il peut tout faire ou presque! Fournissez-lui des occasions de réussir et de rehausser ainsi son estime de soi.
- Votre enfant découvre une nouvelle liberté, celle de se mouvoir à son gré. Il apprend à se déplacer dans l'espace de manière créative, non seulement en marchant, mais aussi en courant, en sautillant, en sautant, en roulant sur lui-même, en dansant, en grimpant, et ainsi de suite. Prenez soin de lui laisser beaucoup d'espace pour exercer ces habiletés.
- Votre enfant développe la motricité fine qui lui permettra d'exécuter des tâches plus difficiles, comme dessiner, colorier, peindre, découper et coller. Fournissez-lui du matériel pour l'aider à exercer sa dextérité manuelle.

Des parties d'animaux

Demandez à votre enfant d'apparier la tête et la queue de divers animaux, ou laissez-lui le plaisir d'inventer de nouveaux animaux complètement fous!

Matériel

- Des photos d'animaux découpées dans des magazines ou des livres d'images bon marché
- Des ciseaux
- De la colle
- Du papier de bricolage
- Un plancher ou une table

Quoi faire

1. Découpez des photos de divers animaux.
2. Coupez les photos en deux, en séparant la partie de la tête de la partie de la queue.
3. Placez les têtes sur le plancher ou la table devant votre enfant.
4. Sortez la photo d'une partie postérieure d'un animal et laissez votre enfant l'apparier à la bonne tête.
5. Demandez-lui de coller chaque animal reconstitué sur une feuille de papier de bricolage.
6. Continuez le jeu jusqu'à ce que tous les animaux aient été reconstitués.

Apprentissages

- Image corporelle
- Capacité de classification
- Habiletés cognitives/raisonnement
- Motricité fine

Variation

Demandez à votre enfant de faire exprès d'apparier les mauvaises têtes aux mauvaises queues pour créer de nouveaux animaux comiques!

Mise en garde

Rangez les ciseaux après avoir découpé les photos et assurez-vous que votre enfant ne se met pas de colle dans la bouche.

Imite des animaux !

Votre enfant s'amusera à imiter la façon de marcher de divers animaux. Aidez-le à utiliser son imagination pour bouger les bras, les jambes, la tête et le corps.

Matériel

- Une grande pièce
- Des livres d'images contenant des photos d'animaux à la démarche distinctive, comme des canards, des crabes, des grenouilles, des kangourous, des éléphants, des vers de terre, des poules, des lapins, des phoques, des serpents, des chenilles, et ainsi de suite

Quoi faire

1. Feuilletez divers livres d'images au sujet des animaux.
2. En lisant, encouragez votre enfant à essayer de marcher comme les animaux dans les livres.
3. Aidez-le en décrivant les mouvements et faites-lui une démonstration, au besoin. Par exemple, montrez-lui la démarche du canard, la démarche latérale du crabe, les sauts du kangourou, le pas lourd de l'éléphant, le sautillement de la poule, les bonds du lapin, le glissement du phoque, la façon de ramper du serpent et de la chenille... la chenille marche-t-elle ?

Apprentissages

- Capacité de classification
- Art dramatique
- Expression des émotions
- Motricité globale
- Habiletés sociales

Variation

Imitez tour à tour la démarche d'un animal et demandez à l'autre de deviner de quel animal il s'agit.

Mise en garde

Assurez-vous que la pièce est bien dégagée et exempte de tout obstacle.

Des mots inversés

Les habiletés langagières de votre enfant se développent à un rythme fou pendant cette période. Encouragez-le à jouer avec les mots en les exprimant autrement. Dites des phrases et des expressions à l'envers!

Matériel

- La table familiale pendant un repas

Apprentissages

- Habiletés cognitives/raisonnement
- Expression des émotions
- Acquisition du langage et du vocabulaire
- Narration
- Interaction sociale

Quoi faire

1. Jouer à ce jeu pendant les repas permet à l'enfant de l'apprendre à l'aide de phrases familières.
2. Commencez avec des phrases simples comme: «S'il vous plaît» et «Merci beaucoup». Dites-les à l'envers: «Plaît vous s'il» et «beaucoup merci».
3. Donnez quelques exemples pour que l'enfant comprenne bien les règles du jeu.
4. Allongez vos phrases à mesure que l'enfant maîtrise mieux le jeu.

Variation

Décrétez une heure de la journée au cours de laquelle vous parlez à l'envers (verlan). Ou essayez de jouer une scène d'un livre préféré entièrement à l'envers.

Mise en garde

Si votre enfant devient frustré parce qu'il n'arrive pas à comprendre le jeu, utilisez des phrases de deux mots seulement ou passez à autre chose et reprenez le jeu quelques jours plus tard.

Biscuit un tu veux ?

Deux avoir en je peux ?

Une voiture en carton

Une simple boîte peut transformer un enfant en génie créateur qui apprend à faire des choses extraordinaires avec son esprit et son corps!

Matériel

- Une grande boîte environ de la moitié de la taille de votre enfant
- Des ciseaux ou un couteau d'artiste
- Du ruban adhésif
- Des crayons-feutres, des crayons de couleur, de la peinture ou des autocollants, des décalques, des franges et d'autre matériel décoratif
- Des livres sur les voitures et les camions

Quoi faire

1. Avec votre enfant, lisez un livre sur les voitures et examinez bien les photos.
2. Découpez le dessus et le dessous d'une grande boîte en laissant les côtés intacts.

3. Couvrez les bords rugueux et renforcez les coins à l'aide de ruban adhésif.
4. Aidez votre enfant à décorer l'extérieur de la boîte afin qu'elle ressemble à une voiture ou un camion en utilisant les crayons-feutres, de la peinture, des autocollants, etc.
5. Quand la voiture est finie, laissez votre enfant la conduire dans la maison ou le jardin.
6. Pour ajouter au plaisir, étendez des cordes pour dessiner une route et installez des panneaux de signalisation, comme des arrêts.

Variation

Fabriquez un avion ou un bateau au lieu d'une voiture et laissez votre enfant s'envoler ou lever les voiles!

Mise en garde

Usez de prudence lorsque vous utilisez des ciseaux ou un couteau d'artiste à proximité de votre enfant.

Peux-tu deviner ?

Si vous lui donnez suffisamment d'indices, votre enfant devinera vos pensées en un rien de temps. Donnez-lui la chance de vous faire deviner aussi.

Matériel

- Une pièce où il y a des objets intéressants

Apprentissages

- Capacité de classification
- Habiletés cognitives/raisonnement
- Acquisition du langage et du vocabulaire
- Imagerie mentale
- Résolution de problèmes

Quoi faire

1. Choisissez dans une pièce un objet intéressant et facilement visible, comme une figurine.
2. Dites à votre enfant que vous pensez à une chose dans la pièce et donnez-lui un indice, comme la couleur, la taille ou la forme de cette chose.
3. Demandez-lui de deviner à quel objet vous pensez.
4. Si votre enfant ne devine pas du premier coup, donnez-lui un autre indice et demandez-lui d'essayer de deviner de nouveau.
5. Continuez jusqu'à ce qu'il ait deviné de quel objet il s'agissait.
6. Laissez votre enfant choisir un objet à son tour et vous donner des indices pour vous aider à deviner!

Variation

Ce jeu se joue facilement en voiture ou quand on fait la file.

Mise en garde

Assurez-vous que l'objet reste visible en tout temps. Ne choisissez pas d'objets dangereux pour votre enfant.

Le bain comme au lave-auto

Même les enfants qui détestent prendre leur bain aiment un bain comme au lave-auto – et ils apprennent tout en se lavant!

Matériel

- Une baignoire
- Un produit moussant pour le bain
- Des lunettes de natation
- Des éponges et des gants de toilette
- Du shampoing et du savon
- Des pulvérisateurs et des bouteilles
- Une serviette
- Une lotion hydratante

Quoi faire

1. Remplissez la baignoire d'eau tiède.
2. Ajoutez le produit moussant pendant que la baignoire se remplit.
3. Mettez votre enfant dans le bain et ajustez les lunettes de natation sur ses yeux.
4. Lavez-le partout avec des éponges et des gants de toilette.
5. Donnez-lui un shampoing et savonnez-le de la tête aux pieds.
6. Rincez-le avec les pulvérisateurs, comme dans un lave-auto.
7. Séchez-le avec une serviette.
8. Cirez-le de lotion hydratante. Propre comme un sou neuf!

Apprentissages

- Conscience de son corps
- Habiletés cognitives/raisonnement
- Créativité et imagination
- Motricité globale

Variation

Faites la même chose sous la douche. Votre enfant peut aussi aller au lave-auto dans la douche!

Mise en garde

Veillez à ce que votre enfant ne se mette pas de savon dans les yeux. Vérifiez la température de l'eau et surveillez votre enfant au cas où il glisserait. *Ne laissez jamais votre enfant dans la baignoire sans surveillance.*

Je colorie ma main

Aidez votre enfant à bien connaître toutes les parties de son corps en créant un cahier à colorier contenant les parties de son propre corps! Commencez par sa main, puis passez à son bras, son coude, son visage et ensuite à son ventre, ses jambes, ses genoux et ses pieds.

Matériel

- Un photocopieur
- Des crayons-feutres ou des crayons de couleur

Quoi faire

1. Mettez la main de votre enfant sur la surface vitrée du photocopieur.
2. Recouvrez-la main du couvercle.
3. Demandez-lui de fermer les yeux pour éviter qu'il ne soit aveuglé pendant la photocopie.
4. Appuyez sur le bouton pour faire une copie.
5. Apportez la copie à la maison. Si la copie est de piètre qualité, dessinez le contour de la main au crayon-feutre noir avant de laisser votre enfant la colorier avec des crayons-feutres ou des crayons de couleur.

6. Laissez-le ajouter tous les détails qu'il veut, comme des bagues, des ongles rapportés, du vernis à ongles, des bracelets, etc.

Variation

Faites des photocopies de plusieurs parties du corps de votre enfant et demandez-lui de les rassembler en arrivant à la maison. Il peut colorier les images et voir quel genre de drôle de personne il devient!

Mise en garde

Veillez à ce que votre enfant ferme les yeux pendant le fonctionnement du photocopieur.

Suis les autocollants !

Voici une version de la chasse au trésor qui aidera votre enfant à suivre une piste. C'est vous qui décidez où elle mènera.

Matériel

- Une douzaine ou plus d'autocollants colorés
- Une surprise, comme un craquelin ou un petit jouet
- Une grande aire de jeu

Apprentissages

- Habiletés cognitives/raisonnement
- Motricité globale
- Imagination
- Résolution de problèmes
- Discrimination visuelle/ repérage visuel

Quoi faire

1. Achetez un paquet d'autocollants colorés.
2. Concevez dans la maison ou le jardin une piste que votre enfant devra suivre.
3. Placez les autocollants dans des endroits bien visibles, à tous les 30 centimètres.
4. Déposez une friandise ou un jeu au bout de la piste.
5. Faites venir votre enfant dans l'aire de jeu et expliquez-lui qu'il doit chercher une piste d'autocollants qui le mènera à une surprise.
6. Félicitez-le quand il trouve sa récompense !

Variation

Pour rendre la chasse plus difficile, espacez davantage les autocollants chaque fois que vous jouez. Vous pouvez aussi demander à votre enfant de concevoir une piste pour vous ! Il peut planifier l'itinéraire et choisir la surprise.

Mise en garde

Évitez de placer les autocollants trop en hauteur ou de faire passer la piste près d'objets dangereux.

Apparie les objets !

Enseignez à votre enfant à apparier des objets qui vont ensemble, puis demandez-lui de vous proposer un jeu d'appariement semblable.

Matériel

- Des objets qui vont ensemble, comme une chaussure et une chaussette, du papier et un crayon, une fourchette et une assiette, une savonnette et un gant de toilette, du dentifrice et une brosse à dents, un peigne et un ruban, du ketchup et de la moutarde, et ainsi de suite.
- Un plancher ou une table

Quoi faire

1. Réunissez plusieurs paires d'objets qui vont ensemble sans être identiques.
2. Séparez-les en deux piles.
3. Placez la première pile sur le plancher ou la table, devant votre enfant.
4. Sortez un objet de l'autre pile et montrez-le à votre enfant.
5. Demandez-lui de trouver l'objet correspondant dans la première pile et de vous le montrer.
6. Mettez la paire reconstituée de côté.
7. Continuez jusqu'à ce que tous les objets aient été appariés.

Apprentissages

- Habiletés de classification
- Habiletés cognitives/raisonnement
- Acquisition du langage et du vocabulaire
- Capacité d'appariement

8. Discutez des raisons qui font que les objets vont ou ne vont pas ensemble.
9. Laissez votre enfant réunir des objets qui vont ensemble et vous demander de les apparier.

Variation

Placez tous les objets dans le désordre sur le plancher et laissez votre enfant apparier ceux qui vont ensemble.

Mise en garde

N'utilisez que des objets que vous pouvez manipuler sans danger.

Devine la fin !

Apprenez à votre enfant à prévoir la fin d'une histoire. Il pourra appliquer cette habileté lorsqu'il exécutera diverses tâches cognitives, plus particulièrement lorsqu'il résoudra des problèmes.

Matériel

- Un livre d'images avec une fin emballante

Apprentissages

- Habiletés cognitives/raisonnement
- Créativité et imagination
- Acquisition du langage et du vocabulaire
- Résolution de problèmes
- Narration

Quoi faire

1. Trouvez un endroit confortable pour lire le livre.
2. Lisez une partie de l'histoire à votre enfant en arrêtant avant la fin.
3. Demandez-lui ce qu'il pense qu'il va arriver.
4. Encouragez-le à penser à différentes fins possibles.
5. Lisez le reste du livre pour découvrir la fin de l'histoire.
6. Comparez la vraie fin de l'histoire avec les fins qu'il a imaginées.
7. Recommencez avec d'autres livres.

Variation

Visionnez la première partie d'un film. Faites comme précédemment en arrêtant au milieu du film pour discuter de fins possibles.

Mise en garde

Il est recommandé de choisir des livres qui finissent bien, où les problèmes sont résolus et les solutions satisfaisantes. Autrement, votre enfant pourrait devenir frustré.

Des jeux de mains

Laissez votre enfant utiliser son imagination et voyez ce qu'il peut créer à partir du tracé de sa main.

Matériel

- Des feuilles de papier
- Des crayons-feutres

Quoi faire

1. Tracez le contour de la main de votre enfant sur plusieurs feuilles de papier.
2. Demandez-lui de colorier les mains et de les transformer en ce qu'il désire, comme une dinde, un coq, une fleur, un visage à grosse chevelure, un lever de soleil, un monstre comique, un porc-épic, et ainsi de suite.
3. Voyez combien de choses différentes il peut dessiner à partir du contour de sa main.

Apprentissages

- Image corporelle
- Créativité et imagination
- Motricité fine
- Estime de soi/conscience de soi

Variation

Faites aussi des dessins du contour de ses pieds et voyez ce que votre enfant peut dessiner.

Mise en garde

Utilisez des crayons-feutres non toxiques.

Différents sons

Apprenez à votre enfant à reconnaître différents sons, particulièrement des sons qui se ressemblent. Il développera une bonne écoute si vous le faites jouer à ce jeu.

Matériel

- Diverses paires d'objets qui produisent des sons différents :
  - Deux appareils ménagers : un ouvre-boîte et un mélangeur
  - Deux sonneries : le carillon de la porte d'entrée et la sonnerie du téléphone
  - Deux instruments de musique : un piano et une guitare
  - Deux animaux : un chien et un chat
  - Deux jouets : une balle qui rebondit et des blocs superposés
- Un magnétoscope à cassettes et une cassette
- Une table

Quoi faire

1. Trouvez plusieurs paires d'objets et enregistrez les sons qu'ils produisent.
2. Placez les petits objets sur la table.
3. Demandez à votre enfant d'écouter la cassette et de montrer l'objet qui produit le son qu'il entend. Il devra peut-être se déplacer dans la maison pour trouver les gros objets, comme un piano

Apprentissages

- Champ de l'attention
- Capacité de classification
- Habiletés cognitives/raisonnement
- Écoute/discrimination auditive
- Imagerie mentale

ou un animal. Arrêtez la cassette s'il a besoin de plus de temps et répétez le son au besoin.
4. Une fois que votre enfant a identifié tous les sons, séparez les objets en paires et expliquez-lui en quoi les sons qu'ils produisent sont semblables et en quoi ils sont différents.

Variation

Ne disposez aucun objet sur la table et demandez à votre enfant d'identifier l'objet uniquement par le son sur la cassette. Vous pouvez aussi ne faire jouer qu'un seul des sons et demander à votre enfant de vous montrer l'objet qui le produit, puis de choisir un autre objet qui produit un son semblable.

Mise en garde

Assurez-vous que le volume du magnétoscope n'est pas trop fort et évitez les sons qui pourraient faire peur à votre enfant.

Fabrique un livre !

Encouragez votre enfant à raconter une histoire et à fabriquer son propre livre, comme les vrais livres à la bibliothèque!

Matériel

- Des revues pour enfants ou des livres d'images peu coûteux
- Du papier, de la colle, du ruban adhésif, des ciseaux et une agrafeuse
- Des crayons-feutres

Apprentissages

- Habiletés cognitives/raisonnement
- Créativité et imagination
- Acquisition du langage et du vocabulaire
- Narration

Quoi faire

1. Découpez de 8 à 10 photos dans des revues pour enfants ou des livres d'images.
2. Étalez les photos sur le plancher de manière à bien les voir.
3. Collez les photos (une par page) sur des feuilles de papier, en laissant assez d'espace dans le bas pour pouvoir écrire quelques lignes de l'histoire.
4. Demandez à votre enfant de choisir une image, puis une autre, et ainsi de suite jusqu'à ce que toutes les images aient été réunies dans une pile.
5. Placez une feuille blanche sur le dessus de la pile et agrafez les pages ensemble.
6. Demandez à votre enfant de regarder la première image et de commencer à raconter une histoire qui a trait à celle-ci.
7. Écrivez l'histoire sous l'image.
8. Tournez la page et demandez-lui de regarder la deuxième image et de continuer à raconter l'histoire pendant que vous écrivez la légende sous l'image.
9. Continuez jusqu'à ce que vous arriviez à la fin du livre.
10. Demandez à votre enfant de composer un titre et écrivez-le sur la page couverture.
11. Lisez l'histoire ensemble.

Variation

Demandez à votre enfant de raconter une histoire pendant que vous l'écrivez. Puis, demandez-lui de dessiner des images pour illustrer son histoire. Relisez l'histoire une fois le livre terminé.

Mise en garde

Usez de prudence lorsque vous vous servez de l'agrafeuse et des ciseaux. Vous pouvez aussi enregistrer l'histoire sur une cassette et la consigner sur papier plus tard.

La poupée « moi »

Quel enfant n'aimerait pas une poupée qui lui ressemble ? En fait, votre enfant voudra sans doute jouer avec des poupées qui ressemblent à d'autres membres de la famille !

Matériel

- Un paquet de poupées en papier
- Une photo de votre enfant
- Des photos des autres membres de la famille (facultatif)
- De la colle
- Des ciseaux

Apprentissages

- Conscience de son corps
- Créativité et imagination
- Acquisition du langage et du vocabulaire
- Image de soi/estime de soi
- Habiletés sociales

Quoi faire

1. Achetez un paquet de poupées en papier qui conviennent pour l'âge de votre enfant.
2. Découpez la tête de la photo de votre enfant
3. Collez celle-ci sur la tête de la poupée.
4. Fabriquez aussi des poupées en papier des autres membres de la famille, si votre enfant en a envie.
5. Laissez votre enfant s'amuser à jouer avec les poupées en papier.

Variation

Demandez à votre enfant de monter avec les poupées en papier un spectacle de marionnettes racontant une histoire sur la vie à la maison.

Mise en garde

Usez de prudence lorsque vous manipulez des ciseaux et de la colle à proximité de votre enfant.

Jette un petit coup d'œil !

Votre enfant peut-il deviner l'objet secret en y jetant seulement un petit coup d'œil? Plus il voit l'objet, plus la réponse est facile à trouver!

Matériel

- Plusieurs gros objets qui sont intéressants à regarder, comme un animal en peluche, un vêtement, un livre d'images, une voiture jouet, une poupée bébé, un casse-tête, et ainsi de suite
- Un grand sac en papier pour y mettre les objets
- Une serviette ou une petite couverture

Quoi faire

1. Réunissez plusieurs objets et mettez-les dans un sac en papier.
2. À l'aide d'une serviette, retirez un objet du sac.

Apprentissages

- Capacité de classification
- Habiletés cognitives/raisonnement
- Imagerie mentale
- Résolution de problèmes

3. Placez l'objet recouvert de la serviette entre vous et votre enfant.
4. Révélez délicatement une portion de l'objet.
5. Demandez à votre enfant de deviner de quel objet il s'agit.
6. Découvrez une portion toujours plus grade de l'objet jusqu'à ce que votre enfant devine correctement de quoi il s'agit.
7. Refaites la même chose avec les autres objets dans le sac.

Variation

Pour rendre le jeu plus facile, montrez les objets à votre enfant avant de les mettre dans le sac. Pour rendre le jeu plus difficile, n'utilisez que des photos des objets.

Mise en garde

Choisissez des objets que votre enfant peut manipuler sans danger.

Rimes et rythmes

Aidez votre enfant à garder le rythme et à apprendre de nouveaux mots en même temps ! Ce jeu exige un peu de coordination, mais il rend le langage très amusant !

Matériel

- De la musique (facultatif)

Apprentissages

- Coordination et rythme
- Expression des émotions
- Acquisition du langage et du vocabulaire
- Écoute
- Interaction sociale

Quoi faire

1. Pensez à un mot facile à faire rimer, comme bateau.
2. Commencez en battant des mains lentement, tout en encourageant votre enfant à suivre votre rythme.
3. Dites le mot en battant des mains.
4. Demandez à votre enfant de dire un mot qui rime avec le mot que vous avez dit, tout en continuant à battre des mains.
5. Gardez le rythme pendant qu'il réfléchit à d'autres mots qui riment. Vous pouvez aussi penser à des mots chacun votre tour jusqu'à ce que vous n'en trouviez plus.
6. Choisissez un nouveau mot et jouez de nouveau.

Variation

Faites jouer de la musique et répétez le mot qui rime au rythme de la musique.

Mise en garde

Surveillez les gros mots !

Pluie... pluie

Suie... suie

La danse des écharpes

Vous serez étonné de tout ce qu'on peut faire avec quelques écharpes pour éveiller la créativité d'un enfant et améliorer sa motricité globale et sa motricité fine. En avant la musique, et que les écharpes volent!

Matériel

- Deux longues écharpes, au moins aussi longues que la hauteur de votre enfant
- Deux baguettes chinoises ou des bâtons du même genre
- Une grande aire de jeu
- Un magnétoscope à cassettes et des cassettes

Quoi faire

1. Attachez une des extrémités de chaque écharpe à l'extrémité d'une baguette chinoise.
2. Faites jouer de la musique.
3. Demandez à votre enfant de prendre une baguette dans chaque main et de commencer à agiter les écharpes.
4. En les agitant au son de la musique, encouragez-le à se mouvoir de manière à accentuer le mouvement des écharpes.
5. Demandez-lui de chorégraphier une danse des écharpes sur la musique.

Apprentissages

- Coordination
- Créativité et imagination
- Expression des émotions
- Motricité globale
- Organisation spatiale

Variation

Tenez une des baguettes à écharpe, laissez votre enfant tenir l'autre et dansez ensemble. Entrelacez vos écharpes et voyez ce qui se produit!

Mise en garde

Assurez-vous que tous les obstacles ont été enlevés. N'attachez pas l'écharpe à votre enfant – il pourrait trébucher et tomber.

Sautille, saute à cloche-pied et saute!

Votre enfant doit écouter attentivement des instructions simples. Autrement, il risque de se mettre à sautiller, alors qu'il aurait dû sauter à cloche-pied ou sauter!

Matériel

- Une grande pièce

Apprentissages

- Conscience de son corps
- Coordination et réflexes
- Motricité globale
- Acquisition du langage et du vocabulaire
- Écoute/discrimination auditive

Quoi faire

1. Tenez-vous debout dans une grande pièce dégagée où votre enfant a amplement d'espace pour faire ce que vous lui demandez.
2. Donnez-lui un ordre – sautille, saute à cloche-pied ou saute – et demandez-lui de réagir en conséquence.
3. Donnez-lui un autre ordre et demandez-lui de passer à cette deuxième tâche.
4. Continuez à lui donner des ordres, mais en allant de plus en plus vite jusqu'à ce qu'il éclate de rire et s'effondre!
5. Jouez de nouveau et ajoutez d'autres ordres comme danse, tourne sur toi-même, bondis, et ainsi de suite.

Variation

Faites une promenade dans votre quartier et donnez à votre enfant des instructions sur la façon de marcher, lentement, rapidement, de reculons, de côté, à petits pas, à grands pas, en sautillant, en sautant, et ainsi de suite. Vous pouvez aussi changer votre démarche en chemin et demander à votre enfant de vous imiter!

Mise en garde

Si votre enfant devient confus ou frustré, ralentissez vos ordres ou arrêtez de jouer.

Parle et enregistre tes paroles !

Les enfants adorent entendre le son de leur propre voix. Vous pouvez donc enregistrer ce que dit votre enfant et le lui faire entendre. Voyez de combien de façons différentes il peut moduler sa voix.

Matériel

- Un magnétophone à cassettes
- Un microphone
- Une cassette vierge

Apprentissages

- Habiletés cognitives/raisonnement
- Créativité et imagination
- Acquisition du langage et du vocabulaire
- Écoute

Quoi faire

1. Placez la cassette vierge dans le magnétophone.
2. Choisissez un sujet intéressant sur lequel faire parler votre enfant, par exemple : «Qu'est-ce que tu aimerais faire à la prématernelle?» ou «Qu'est-ce que tu aimerais pour ton anniversaire?» ou encore «Raconte ton émission de télévision préférée.»
3. Mettez le magnétophone en marche, tenez le microphone près de la bouche de votre enfant et laissez-le parler sur le sujet choisi.
4. Faites jouer l'enregistrement et écoutez-le ensemble.
5. Choisissez un autre sujet et demandez à votre enfant de parler de nouveau, mais en utilisant une autre voix, plus haute ou plus basse, ou en imitant un personnage de dessins animés, et ainsi de suite.
6. Demandez à votre enfant de changer de voix à chaque sujet, puis écoutez toute la cassette depuis le début.

Variation

Enregistrez des membres de la famille ou des amis et demandez à votre enfant de deviner de qui il s'agit.

Mise en garde

Si le magnétophone doit être branché dans une prise, demandez à votre enfant de ne pas toucher au fil électrique. Veillez aussi à ce qu'il appuie délicatement sur les boutons.

Tape tape le tambour !

Amusez-vous avec vos doigts en jouant à Tape tape le tambour ! Votre enfant utilise ses doigts pour parler, marcher et taper !

Matériel

- 10 petits dés à coudre ou capuchons de stylo
- Une surface dure

Apprentissages

- Conscience de son corps
- Coordination
- Motricité fine
- Écoute/discrimination auditive
- Arithmétique

Quoi faire

1. Couvrez le bout des doigts de votre enfant de dés à coudre ou de capuchons de stylo. Vous devrez peut-être lui couvrir le bout des doigts de sparadrap pour mieux faire tenir les dés à coudre ou les capuchons.
2. Demandez à votre enfant de taper un rythme sur une surface dure, comme une table.
3. Faites jouer de la musique et demandez-lui de garder la mesure en tapant.
4. Donnez-lui divers objets sur lesquels taper des doigts et demandez-lui d'écouter les différents sons qu'il produit.

Variation

Mettez les dés à coudre à votre tour et tapez un rythme sur différentes parties de votre corps. Demandez à l'enfant de fermer les yeux et de deviner par le son seulement sur quelle partie de votre corps vous tapez.

Mise en garde

N'utilisez pas de capuchons de stylo pointus et assurez-vous que votre enfant ne met pas les dés à coudre ou les capuchons dans sa bouche. De plus, ne laissez pas votre enfant taper sur des verres ou autres objets qui se cassent facilement.

Les claquettes

Les enfants adorent s'entendre parler et, avec ce jeu, ils adoreront aussi s'entendre marcher ! Aidez votre enfant à mieux s'entendre en lui procurant de vrais souliers à claquettes !

Matériel

- Une vieille paire de chaussures à la taille de votre enfant
- Huit rondelles métalliques plates
- De la super colle
- Une surface dure

Variation

Achetez à votre enfant des chaussures à claquettes d'occasion et laissez-le les découvrir.

Quoi faire

1. Trouvez une vieille paire de chaussures prêtes à jeter ou achetez-en une paire dans une friperie.
2. Collez quatre rondelles en métal sur la semelle de chaque chaussure, deux à l'avant et deux au talon. Laissez sécher la colle.
3. Mettez les chaussures à votre enfant et laissez-le marcher sur la surface dure.
4. Mettez de la musique et demandez-lui de taper en gardant la mesure.

Mise en garde

Assurez-vous que votre enfant ne marche pas sur une surface glissante et demandez-lui de faire particulièrement attention si ses chaussures ne lui vont pas parfaitement. Attention à la super colle !

Tape ! Tape ! Tape ! Tape !

Touche et devine !

Aidez votre enfant à utiliser son sens du toucher pour explorer son environnement. Encouragez-le à se faire une image mentale de la sensation des objets au toucher.

Matériel

- Divers objets de textures différentes qui tiennent dans la paume de la main, comme un animal en peluche, un gant de toilette, une tasse, une biscotte, une balle, et ainsi de suite
- Un sac en papier
- Un bandeau pour les yeux (facultatif)

Quoi faire

1. Réunissez divers objets de textures ou de formes différentes, que vous placerez dans un sac en papier.
2. Asseyez-vous en face de votre enfant sur le plancher.
3. Bandez-lui les yeux ou demandez-lui de fermer les yeux.
4. Retirez un objet du sac et mettez-le dans les mains de votre enfant.
5. Demandez-lui de le toucher attentivement et de deviner de quoi il s'agit.

Apprentissages

- Capacité de classification
- Motricité fine
- Dextérité manuelle
- Imagerie mentale
- Résolution de problèmes

6. Donnez-lui des indices s'il a de la difficulté à deviner correctement.

Variation

Pour rendre le jeu plus facile, montrez à votre enfant les objets avant de lui bander les yeux, puis suivez les instructions précédentes.

Mise en garde

Si votre enfant n'aime pas se faire bander les yeux, demandez-lui de les fermer et encouragez-le à ne pas regarder. Assurez-vous que les objets peuvent être manipulés sans danger.

Que s'est-il passé ?

Aidez votre enfant à prévoir et à résoudre des problèmes – avant qu'il n'en ait de vrais! Rendez la résolution de problèmes amusante!

Matériel

- Un livre d'histoires bien illustré

Apprentissages

- Habiletés cognitives/raisonnement
- Créativité et imagination
- Acquisition du langage et du vocabulaire
- Résolution de problèmes
- Narration

Quoi faire

1. Choisissez un livre d'histoires dans lequel il se produit des événements que l'enfant peut prévoir.
2. Asseyez-vous ensemble dans un fauteuil confortable et commencez à lire l'histoire.
3. À mesure que vous avancez, demandez à votre enfant ce qu'il pense qu'il arrivera et laissez-le deviner avant de tourner la page.
4. Tournez la page et lisez la suite de l'histoire pour voir s'il a raison.
5. Continuez jusqu'à la fin de l'histoire.

Variation

Au lieu d'un livre d'histoires illustré, vous pouvez utiliser des images dans un magazine et inventer des histoires. Commencez en demandant à votre enfant : «Que s'est-il passé?»

Mise en garde

Évitez les histoires qui pourraient causer à votre enfant de l'anxiété relativement à ce qui va se produire, comme une histoire au sujet de la mort.

Que manque-t-il ?

Votre enfant s'amusera à trouver quel est l'objet qui manque, surtout si vous choisissez des objets intéressants.

Matériel

- Un groupe de quatre à six objets, comme un jouet, une collation, un livre, un vêtement, et ainsi de suite
- Une table ou le plancher
- Une couverture ou un jeté

Apprentissages

- Capacité de classification
- Habiletés cognitives/raisonnement
- Acquisition du langage et du vocabulaire
- Résolution de problèmes
- Interaction sociale

Quoi faire

1. Placez les objets sur le plancher ou sur la table devant votre enfant.
2. Après l'avoir laissé les examiner, nommez-les un à un à haute voix.
3. Couvrez les objets avec la couverture ou le jeté.
4. Revoyez les noms des objets.
5. Retirez un objet sans laisser l'enfant voir lequel.
6. Enlevez la couverture et nommez tous les objets encore présents.
7. Demandez à votre enfant : « Qu'est-ce qui manque ? »
8. Répétez les étapes 4 à 7 en enlevant un objet chaque fois.
9. Réunissez d'autres objets et recommencez.

Variation

Pour rendre le jeu plus difficile, vous pouvez utiliser un plus grand nombre d'objets, choisir des objets plus semblables ou sauter l'étape de la révision. Pour le rendre plus facile, réduisez le nombre d'objets ou révisez-les plusieurs fois.

Mise en garde

Choisissez des objets que votre enfant peut manipuler sans danger.

À qui appartiennent ces vêtements ?

Votre enfant est encore au stade où il apprend à distinguer les garçons des filles et les hommes des femmes. Ce jeu l'aidera beaucoup.

Matériel

- Des magazines contenant des photos de gens
- Des ciseaux
- Un plancher ou une table

Quoi faire

1. Découpez dans des magazines des photos d'hommes, de femmes, de garçons et de filles.
2. Découpez ensuite des photos de vêtements pour hommes, pour femmes, pour garçons et pour filles.

Apprentissages

- Image corporelle
- Capacité de classification/réflexion
- Créativité et imagination
- Motricité fine
- Estime de soi/conscience de soi

3. Placez les photos des gens sur le plancher ou la table, devant votre enfant.
4. Placez les vêtements à côté.
5. Prenez une première photo d'un vêtement et passez-la à l'enfant.
6. Demandez-lui de mettre le vêtement à un homme, une femme, un garçon ou une fille.
7. Continuez jusqu'à ce que tous les vêtements aient été attribués.

Variation

Demandez à votre enfant de vous aider à trier la lessive et de vous indiquer quels vêtements appartiennent à chaque membre de la famille.

Mise en garde

Usez de prudence lorsque vous manipulez des ciseaux près de votre enfant.

3 ½ ANS À 4 ANS

Les habiletés cognitives de votre enfant progressent rapidement. Il peut maintenant penser de manière plus concrète que pendant la phase «ici et maintenant» de ses premières années. Le théoricien cognitif Jean Piaget a appelé ce stade de la croissance intellectuelle la pensée pré-opérationnelle. Voici des exemples du développement cognitif de votre enfant :

- Votre enfant est maintenant capable d'utiliser des symboles, plus particulièrement le langage, pour exprimer ses idées, ses pensées et ses sentiments. Il s'agit d'un grand pas depuis le stade primaire où il s'exprimait surtout en gesticulant. Le développement du langage et l'enrichissement du vocabulaire lui permettent d'exprimer des idées plus complexes, ce qui lui donne une plus grande emprise sur le monde qui l'entoure, tout en lui apprenant à se contrôler. Toute personne qui s'occupe d'un enfant, que ce soit son papa, sa maman ou un autre adulte, devrait lui offrir de multiples occasions d'exercer ses habiletés verbales et d'enrichir son vocabulaire.

- Votre enfant est *égocentrique*, mais cela ne veut pas dire égoïste. Piaget a utilisé ce mot pour expliquer qu'un enfant apprend à voir les choses de son propre point de vue – distinct de celui de ses parents. Il se peut que votre enfant ait de la difficulté à voir le point de vue des autres, vous pouvez donc l'y aider tout en vous amusant avec lui.

- Votre enfant apprend à prendre ses propres décisions à mesure qu'il devient plus indépendant. Ses décisions entrent parfois en conflit avec les vôtres, mais vous devriez quand même l'encourager à penser par lui-même en lui offrant des options et en lui permettant de faire certains choix.

Mon livre : tout sur moi

Aidez votre enfant à créer un livre très particulier – un livre dont il est la vedette.

Matériel

- Des feuilles de papier blanc
- Des magazines avec plein de photos
- Des photos de votre enfant et d'autres membres de votre famille
- Des dessins de votre enfant
- Des ciseaux
- De la colle
- Un stylo
- Une agrafeuse

Quoi faire

1. Réunissez des représentations visuelles importantes pour votre enfant, incluant certains de ses dessins, ses images préférées tirées de magazines, des photos de membres de la famille, et ainsi de suite.
2. Collez chacune de ces représentations sur une feuille de papier blanc.
3. Demandez à votre enfant de décrire ce que chaque image représente pour lui et écrivez ces renseignements au bas de la page.
4. Agrafez les pages ensemble et ajoutez une page couverture intitulée « Tout sur moi ».

Apprentissages

- Habiletés cognitives/raisonnement
- Expression des émotions
- Motricité fine
- Estime de soi/conscience de soi

5. Une fois le livre terminé, lisez-le ensemble.

Variation

Votre enfant peut ajouter des pages à son livre quand il le désire. Il peut aussi le diviser en chapitres.

Mise en garde

Faites des copies de photos de famille que vous ne voulez pas endommager. Usez de prudence lorsque vous manipulez des ciseaux près de votre enfant.

Fabrique des animaux !

Aidez votre enfant à créer ses propres espèces d'animaux et voyez quels genres de monstres il produira!

Matériel

- Des images d'animaux tirées de magazines ou de livres d'images bon marché
- Des ciseaux
- Du papier
- De la colle ou du ruban adhésif
- Une table

Apprentissages

- Capacité de classification
- Habiletés cognitives/raisonnement
- Créativité et imagination
- Motricité fine

Quoi faire

1. Découpez des photos de divers animaux.
2. Découpez les photos d'animaux en différentes parties, comme la tête, le torse, les pattes, la queue, et ainsi de suite.
3. Demandez à votre enfant de mélanger sur la table les parties du corps des différents animaux.
4. Demandez-lui ensuite de choisir diverses parties pour créer de nouveaux animaux.
5. Aidez-le à coller les parties du corps, dans n'importe quel ordre, sur une feuille de papier.
6. Répétez jusqu'à ce que toutes les parties, ou presque, aient été utilisées.
7. Aidez votre enfant à donner des noms aux animaux qu'il a créés.

Variation

Demandez à votre enfant de dessiner de nouveaux animaux en faisant appel uniquement à son imagination.

Mise en garde

Usez de prudence lorsque vous utilisez de la colle et des ciseaux près de votre enfant.

Souffle des bulles de bain moussant !

Aidez votre enfant à découvrir les intéressantes propriétés de l'eau tout en s'amusant et en se lavant !

Matériel

- Une baignoire
- Un produit moussant pour le bain

Quoi faire

1. Remplissez la baignoire d'eau tiède et installez-y votre enfant.
2. Ouvrez une bouteille de produit moussant et soufflez quelques bulles au-dessus de la baignoire. Encouragez votre enfant à crever les bulles avant qu'elles atteignent l'eau.
3. Versez un peu de produit moussant dans l'eau, donnez une paille à votre enfant et voyez s'il peut faire des bulles en soufflant dans l'eau.

Apprentissages

- Cause et effet
- Coordination œil-main
- Motricité globale et motricité fine
- Propriétés scientifiques

Variation

Soufflez des bulles à l'extérieur et essayez de les attraper.

Mise en garde

Comme le produit moussant peut rendre la baignoire glissante, prenez les précautions qui s'imposent. Assurez-vous que votre enfant n'aspire pas l'eau savonneuse au lieu de souffler.

Attrape les cubes colorés !

Votre enfant peut apprendre toutes sortes d'habiletés n'importe où – même en prenant son bain !

Matériel

- Une baignoire pleine d'eau tiède
- Du colorant alimentaire
- Un bac à glaçons

Apprentissages

- Habiletés cognitives/raisonnement
- Motricité fine
- Résolution de problèmes
- Propriétés scientifiques
- Exploration sensorielle

Quoi faire

1. Préparez des cubes colorés en ajoutant du colorant alimentaire dans un bac à glaçons. Faites surgeler les glaçons longtemps avant l'heure du bain.
2. Remplissez la baignoire d'eau tiède.
3. Mettez votre enfant dans la baignoire.
4. Déposez des glaçons dans l'eau, quelques-uns à la fois, et encouragez votre enfant à les attraper. Comme les cubes glissants se mettront à fondre dans l'eau, il doit faire vite !
5. Continuez à ajouter des cubes jusqu'à ce qu'il n'y en ait plus.
6. Au besoin, ajoutez un peu d'eau chaude pour garder le bain à une température agréable.

Variation

Placez un petit jouet sur l'un des glaçons flottants et voyez combien de temps il met à sombrer. Vous pouvez aussi mettre un petit jouet dans un glaçon, comme surprise.

Mise en garde

Surveillez constamment votre enfant pendant qu'il est dans la baignoire, et assurez-vous que l'eau reste assez chaude.

Change l'histoire !

Les enfants aiment imaginer ce qui arrivera dans une histoire. Amusez-vous à changer une histoire que votre enfant connaît et voyez s'il s'en rend compte.

Matériel

- Un livre d'images avec une histoire intéressante
- Un fauteuil confortable

Apprentissages

- Capacité de prévoir/d'être surpris
- Habiletés cognitives/raisonnement
- Créativité et imagination
- Imagerie mentale
- Résolution de problèmes

Quoi faire

1. Trouvez un livre d'images qui raconte une histoire palpitante.
2. Asseyez-vous avec votre enfant dans un fauteuil confortable et commencez à lire l'histoire.
3. À mesure que vous lisez, remplacez certains des mots par d'autres qui ne vont pas avec les illustrations. Par exemple, quand une personne porte un chapeau jaune, dites que le chapeau est rouge.
4. Arrêtez-vous après avoir fait un changement et attendez la réaction de votre enfant. Il devrait remarquer que vous avez lu quelque chose de différent de ce qu'il attendait.
5. S'il ne dit rien, demandez-lui si ce que vous avez lu est correct.
6. Laissez-le y penser et il finira par s'en rendre compte.
7. Demandez-lui de faire la correction, si cela est possible.
8. Tournez la page et changez un autre élément de l'histoire.
9. Continuez ainsi jusqu'à la fin de l'histoire.

Variation

Demandez à l'enfant de vous raconter l'histoire en apportant les changements qu'il désire, et voyez si vous pouvez les repérer.

Mise en garde

Choisissez une histoire qui n'est pas trop effrayante.

La promenade des couleurs

Pour aider votre enfant à apprendre ses couleurs, faites une promenade des couleurs et prenez note de toutes les couleurs qui vous entourent, partout où vous allez.

Matériel

- Une pièce, un jardin ou un parc plein de couleurs

Apprentissages

- Capacité de classification
- Habiletés cognitives/raisonnement
- Notion des couleurs
- Motricité globale
- Habiletés sociales

Quoi faire

1. Proposez à votre enfant de faire une promenade avec vous.
2. En marchant, demandez-lui de choisir une couleur.
3. Puis, demandez-lui de trouver le plus grand nombre possible d'objets de cette couleur.
4. Quand il en a trouvé 10, demandez-lui de choisir une autre couleur et recommencez.

Variation

Pour rendre l'activité plus difficile, chacun de vous peut choisir une couleur différente au début de la promenade. La première personne qui trouve 10 objets de sa couleur a le droit de choisir les deux prochaines couleurs.

Mise en garde

Regardez où vous posez les pieds pour éviter de trébucher en regardant toutes ces couleurs!

Rouge!

Qu'est-ce que ça fait ?

Ce jeu encourage simultanément le développement cognitif et physique de l'enfant.

Matériel

- Un certain nombre d'objets qui «font» quelque chose, comme une corde, une balle, une couverture, un bloc, une cuillère, un chapeau, une serviette, et ainsi de suite
- Un espace dégagé sur le plancher

Quoi faire

1. Réunissez divers objets qui «font» quelque chose.
2. Étalez-les sur le plancher entre vous et votre enfant.
3. Choisissez un objet (par exemple une balle) et demandez à votre enfant : «Qu'est-ce que ça fait?»
4. Demandez-lui de vous dire ce que l'objet fait, puis encouragez-le à en faire la démonstration.
5. Demandez-lui si l'objet peut faire d'autre chose. Par exemple, une balle rebondit, est attrapée, est lancée, roule, est frappée, est emportée, et ainsi de suite.
6. Choisissez un autre objet et refaites l'exercice.

Apprentissages

- Conscience de son corps
- Habiletés cognitives/raisonnement
- Motricité globale et motricité fine
- Interaction sociale
- Relations spatiales

Variation

Laissez votre enfant choisir à son tour quelques objets et vous expliquer ce qu'ils font. N'oubliez pas de lui en faire la démonstration!

Mise en garde

Choisissez des objets que votre enfant peut manipuler sans danger.

Les répétitions

Voici un jeu facile pour doubler les habiletés langagières de votre enfant – une conversation pleine de répétitions!

Matériel

- Des sujets de conversation, comme la journée de votre enfant à la garderie, son livre, son émission de télévision ou son nouveau jouet préféré, et ainsi de suite

Quoi faire

1. Choisissez un sujet et discutez-en avec votre enfant.
2. Demandez-lui de vous raconter une histoire, une phrase à la fois.
3. Demandez-lui de s'arrêter après chaque phrase, afin que vous puissiez répéter ce qu'il dit le plus fidèlement possible.
4. Continuez jusqu'à la fin de l'histoire.
5. Inversez les rôles : vous racontez l'histoire et c'est votre enfant qui répète ce que vous dites le plus fidèlement possible.

Apprentissages

- Habiletés cognitives/raisonnement
- Acquisition du langage et du vocabulaire
- Conscience de soi
- Interaction sociale

Variation

Demandez à votre enfant de dire quelques phrases et d'attendre que vous les répétiez. Inversez les rôles. Augmentez le nombre de phrases à mesure que l'enfant maîtrise mieux le jeu. Ajoutez plus de mots pour rendre le jeu plus difficile.

Mise en garde

Si votre enfant n'aime pas la répétition, expliquez-lui pourquoi vous le faites et essayez de nouveau. Vous pouvez aussi attendre quelques jours avant de proposer de nouveau ce jeu.

Le chien a aboyé...

Le chien a aboyé.

Une poursuite à la lampe de poche

Voici un jeu amusant à jouer dans le noir. Il a pour but d'éveiller la conscience spatiale de votre enfant.

Matériel

- Deux lampes de poche
- Une pièce où il fait noir

Apprentissages

- Conscience de son corps
- Habiletés cognitives/raisonnement
- Motricité globale
- Habiletés sociales
- Conscience spatiale

Quoi faire

1. Donnez une lampe de poche à votre enfant et gardez-en une pour vous.
2. Allez dans une pièce et éteignez les lumières.
3. Demandez à votre enfant d'allumer sa lampe de poche et de vous suivre quand vous bougez dans le noir.
4. Une fois qu'il vous a attrapé, vous avez perdu! C'est à votre tour d'attraper votre enfant à l'aide de votre lampe de poche.

Variation

Cachez un objet dans la pièce sombre et voyez si votre enfant est capable de le trouver en se servant de sa lampe de poche. Au besoin, vous pouvez lui donner des indices!

Mise en garde

Veillez à ce que votre enfant apprenne à ne pas avoir peur dans le noir, et dégagez bien la pièce pour qu'elle soit libre de tout obstacle.

Suis la corde !

Demandez à votre enfant de suivre une corde qui le mènera jusqu'à un endroit mystérieux.

Matériel

- Un grand bout de corde ou de laine

Apprentissages

- Équilibre et coordination
- Conscience de son corps
- Habiletés cognitives/raisonnement
- Motricité globale
- Conscience spatiale

Quoi faire

1. Choisissez un long bout de corde ou de laine.
2. Étendez la corde sur le sol ou le plancher, d'une extrémité à l'autre de la pièce ou du jardin.
3. Faites passer la corde autour ou par-dessus certains objets.

4. Demandez à votre enfant de marcher sur la corde et de la suivre du début à la fin.
5. Prévenez-le que, s'il tombe, il devra recommencer au début.

Variation

Une fois que votre enfant a suivi la corde d'un bout à l'autre, demandez-lui de refaire le parcours dans l'autre sens.

Mise en garde

Assurez-vous que la corde ne passe pas par-dessus des objets sur lesquels votre enfant pourrait se faire mal.

Chapeau bas !

Un simple chapeau peut complètement changer la personnalité de quelqu'un. Voyez ce qui se passe quand votre enfant se met un chapeau sur la tête !

Matériel

- Un assortiment de chapeaux d'occasion achetés dans une friperie ou un magasin de costumes, par exemple
  une casquette de base-ball, un chapeau à plume, une écharpe, un chapeau de cow-boy, un casque, un chapeau de magicien, un chapeau de Mickey, et ainsi de suite
- Un miroir

Quoi faire

1. Réunissez un assortiment de chapeaux.
2. Tenez-vous devant un miroir pour que votre enfant puisse se voir.
3. Mettez-lui le premier chapeau sur la tête.
4. Laissez votre enfant s'admirer dans le miroir.
5. Demandez-lui ensuite d'agir comme une personne qui porte ce genre de chapeau.
6. Joignez-vous au jeu en choisissant un chapeau pour vous et en agissant comme le personnage qui le porterait.

Apprentissages

- Créativité et imagination
- Art dramatique
- Expression des émotions
- Image de soi/conscience de soi
- Interaction sociale

7. Jouez une pièce de théâtre coiffés de vos chapeaux.
8. Changez de chapeaux et jouez d'autres personnages.

Variation

Ajoutez d'autres accessoires pour aller avec les chapeaux. Amusez-vous à les assortir de différentes façons.

Mise en garde

Assurez-vous que les chapeaux peuvent être portés sans danger, qu'il n'y a ni épingles ni bords coupants, et ainsi de suite.

Je suis capable !

Aidez votre enfant à prendre conscience de toutes les choses merveilleuses qu'il peut faire. Ce jeu constitue une excellente façon d'amener votre enfant à acquérir de l'assurance et à développer son estime de soi.

Matériel

- Des magazines avec des photos ou des livres d'images montrant des enfants s'adonnant à diverses activités

Apprentissages

- Habiletés cognitives/raisonnement
- Acquisition du langage et du vocabulaire
- Estime de soi/confiance en soi
- Habiletés sociales

Quoi faire

1. Feuilletez avec votre enfant les magazines ou les livres d'images montrant des enfants s'adonnant à diverses activités.
2. Demandez à votre enfant s'il est capable d'en faire autant.
3. Demandez-lui de vous expliquer comment il va s'y prendre.
4. Laissez-le vous en faire la démonstration, s'il en a envie.
5. S'il dit ne pas savoir faire une chose, demandez-lui pourquoi.
6. Discutez avec lui de toutes les choses qu'il peut ou ne peut pas faire, sans oublier de lui expliquer pourquoi.

Variation

Demandez à votre enfant d'essayer de faire quelque chose qu'il pense être capable de faire, sans toutefois l'avoir déjà fait, comme se verser du lait, attacher ses lacets de chaussures, se brosser les dents, s'habiller tout seul, et ainsi de suite. Aidez-le au besoin !

Mise en garde

Choisissez toutes sortes de photos d'activités que votre enfant sait faire pour éviter qu'il ne se décourage. Ne le forcez pas à faire des choses qu'il n'est pas prêt à faire.

L'illustrateur

Laissez votre enfant dessiner ses propres images pour raconter une histoire.

Matériel

- Des feuilles de papier blanc
- Des crayons-feutres ou des crayons de couleur
- Une agrafeuse
- Une table

Quoi faire

1. Mettez les feuilles de papier et les crayons-feutres ou les crayons de couleur sur la table.
2. Racontez à votre enfant la première partie d'une histoire, en l'inventant à mesure.
3. Lorsque vous arrivez à un endroit propice où vous arrêter, demandez à votre enfant de faire un dessin de ce qui se passe.
4. Une fois le premier dessin terminé, continuez l'histoire et demandez à votre enfant de l'illustrer.
5. Lorsque l'histoire est finie, agrafez les dessins ensemble.
6. Inscrivez au bas de chaque dessin la partie de l'histoire illustrée.

Variation

Choisissez un livre d'images et lisez l'histoire à votre enfant. En lisant chaque page, demandez-lui de dessiner une image illustrant ce qui se passe. Une fois l'histoire terminée, agrafez tous les dessins ensemble. Puis, lisez ensemble le livre d'images pour comparer les illustrations de votre enfant avec celles du livre.

Mise en garde

Usez de prudence lorsque vous utilisez l'agrafeuse près de votre enfant.

Transforme-toi en momie!

Emballez votre enfant dans du papier hygiénique et voyez-le se transformer en monstre!

Matériel

- Un rouleau de papier hygiénique (préférablement de couleur) ou de papier crêpé
- Un miroir pleine longueur

Apprentissages

- Créativité et imagination
- Jeu dramatique
- Expression des émotions
- Motricité globale
- Image de soi/conscience de soi
- Interaction sociale

Quoi faire

1. Procurez-vous un rouleau de papier hygiénique de couleur ou utilisez du papier crêpé, si vous préférez.
2. Demandez à votre enfant de se tenir bien droit.
3. Enroulez le papier autour de tout son corps, en prenant soin de ne pas lui couvrir les yeux, le nez et la bouche. Emballez ses bras et ses jambes individuellement.
4. Si le papier se déchire, rentrez simplement l'extrémité et continuez.
5. Quand vous avez terminé, amenez votre enfant devant le miroir pour qu'il puisse se voir. N'oubliez pas de prendre une photo!
6. Faites-le marcher comme une momie, en bougeant lentement les jambes et les bras tendus.

Variation

Laissez votre enfant vous emballer dans du papier hygiénique!

Mise en garde

Prenez soin de ne pas couvrir les yeux, le nez et la bouche de votre enfant pour éviter de l'effrayer ou de lui causer des problèmes respiratoires.

Fabrique un super mégaphone !

Parfois, tout ce qu'il faut pour amener un enfant à utiliser plus de mots est un objet dans lequel parler – comme un « super mégaphone ».

Matériel

- Le tube d'un rouleau d'essuie-tout
- Des autocollants, du papier contact imprimé ou des crayons-feutres

Quoi faire

1. Trouvez un tube de rouleau d'essuie-tout vide.
2. Décorez-le avec des autocollants ou du papier contact ou servez-vous des crayons-feutres.
3. Montrez à votre enfant le fonctionnement du mégaphone en le faisant parler d'abord sans lui, puis dans l'objet.
4. Demandez à votre enfant de vous raconter une histoire en parlant dans le mégaphone.

Apprentissages

- Habiletés cognitives/raisonnement
- Créativité et imagination
- Art dramatique
- Expression des émotions
- Acquisition du langage et du vocabulaire

Variation

Fabriquez deux mégaphones et ayez une conversation avec votre enfant.

Mise en garde

Prévenez votre enfant de ne pas courir en tenant le mégaphone devant sa bouche, car il pourrait trébucher et se faire mal.

Ma chambre à moi

Votre enfant développe une partie de son identité en prenant conscience de sa chambre. Aidez-le à découvrir le caractère unique de sa chambre et de lui-même.

Matériel

- Une grande feuille de papier
- Des crayons-feutres
- Une table

Apprentissages

- Habiletés cognitives/raisonnement
- Mémoire/imagerie mentale
- Relations spatiales

Quoi faire

1. Mettez une grande feuille de papier sur une table.
2. Dessinez le contour de la chambre de votre enfant sur le papier et indiquez où se trouvent la porte, la fenêtre, le placard et le lit.
3. Demandez-lui ce qu'il y a d'autre dans sa chambre.
4. Dessinez et étiquetez chaque objet que votre enfant nomme.
5. S'il oublie quelque chose, aidez-le en lui donnant des indices.
6. Une fois que vous avez terminé, visitez sa chambre et comptez le nombre de choses dont il s'est souvenu.

Variation

Demandez à votre enfant de dessiner sa chambre sans aide. Encouragez-le à discuter des choses qu'il y a dans sa chambre et pourquoi elles sont importantes pour lui.

Mise en garde

Utilisez des crayons-feutres non toxiques.

La peinture au pudding

Vous pensiez que le pudding n'était bon qu'à manger? Voyez tout le plaisir que peut avoir votre enfant en jouant avec le pudding au lieu de le manger!

Matériel

- Un tablier
- Un paquet de mélange à pudding ou du pudding prêt-à-manger
- Du colorant alimentaire (facultatif)
- De grandes feuilles de papier glacé ou un dessus de table propre
- Une cuillère

Quoi faire

1. Mettez un tablier à votre enfant pour protéger ses vêtements.
2. Mélangez le pudding – ou mettez le pudding prêt-à-manger dans un bol.
3. Si vous utilisez du pudding à la vanille, vous pouvez y ajouter du colorant alimentaire pour rendre le jeu plus amusant.
4. Placez du papier glacé sur la table ou sur le dessus de table propre.
5. Mettez des cuillerées de pudding sur le papier ou la table.
6. Laissez votre enfant faire de la peinture au pudding avec ses doigts.
7. Quand il a terminé, il peut manger les restes de pudding!

Apprentissages

- Créativité et imagination
- Expression des émotions
- Motricité fine
- Exploration sensorielle

Variation

Utilisez de la crème à raser ou de la crème fouettée au lieu du pudding, pour une sensation différente.

Mise en garde

Si vous utilisez de la crème à raser, prévenez votre enfant de ne pas en mettre dans sa bouche.

Un massage au rouleau à pâte

En faisant cette activité amusante, votre enfant prendra mieux conscience de son corps et aiguisera son sens du toucher, tout en profitant d'un agréable massage !

Apprentissages

- Expression des émotions
- Image de soi/conscience du corps
- Stimulation sensorielle
- Interaction sociale

Matériel

- Un rouleau à pâte propre
- Un gant de toilette
- Du ruban adhésif
- Une couverture
- Un plancher recouvert d'une moquette

Quoi faire

1. Couvrez le rouleau à pâte d'un gant de toilette et faites-le tenir en place avec du ruban adhésif.
2. Étendez une couverture sur le plancher recouvert de moquette.
3. Demandez à votre enfant de s'étendre sur le ventre sur la couverture et de fermer les yeux.
4. Roulez délicatement le rouleau sur son corps, tout en chantant une chanson. Prenez soin de passer le rouleau à pâte sur toutes les parties de son corps.
5. Quand vous avez fini un côté, demandez à votre enfant de se tourner sur le dos et refaites la même opération.

Variation

Quand vous avez fini de masser les deux côtés de son corps, laissez votre enfant vous masser à son tour !

Mise en garde

Passez le rouleau délicatement sur les différentes parties du corps pour éviter de rendre le massage désagréable. Demandez à votre enfant de manipuler le rouleau à pâte prudemment pour éviter qu'il ne vous frappe accidentellement la tête.

Pareils pas pareils

Votre enfant peut-il dire en quoi certaines choses sont semblables et en quoi elles sont différentes? Jouez à Pareils pas pareils pour le découvrir!

Matériel

- Des photos de personnes qui se ressemblent
- Des photos d'animaux, de maisons, d'aliments et d'autres objets qui sont semblables et pourtant différents
- Le plancher ou une table

Quoi faire

1. Choisissez une variété d'images dans les catégories ci-dessus, y compris des photos des membres de votre famille, si cela est possible.
2. Disposez sur le plancher ou sur la table devant votre enfant deux photos de personnes, de maisons, d'animaux, etc. qui se ressemblent.
3. Demandez-lui en quoi les photos sont pareilles.
4. Demandez-lui en quoi elles sont différentes.
5. Donnez-lui des indices, au besoin.
6. Discutez de ses réponses.
7. Refaites la même chose avec les autres photos.

Apprentissages

- Capacité de classification
- Habiletés cognitives/raisonnement
- Acquisition du langage et du vocabulaire
- Conscience de soi
- Interaction sociale

Variation

Étalez les photos des membres de la famille les unes à côté des autres et discutez de leurs ressemblances et de leurs différences. Insistez sur les points qui rendent votre enfant semblable et pourtant différent des autres membres de la famille – et en quoi cela le rend spécial.

Mise en garde

Prenez soin de ne pas faire des comparaisons qui pourraient rendre votre enfant jaloux ou lui donner le sentiment d'être inférieur.

Des pas japonais

Il est amusant de suivre un sentier fait de pas japonais, même lorsque les pierres ne sont que des assiettes en carton.

Matériel

- Des assiettes en carton
- Un stylo

Apprentissages

- Conscience de son corps
- Habiletés cognitives/raisonnement
- Motricité globale
- Arithmétique
- Résolution de problèmes
- Conscience spatiale

Quoi faire

1. Numérotez les assiettes en carton.
2. Placez-les par ordre numérique sur un sentier qui traverse la maison ou le jardin. Écartez-les de la longueur d'un pas de votre enfant.
3. Tracez un sentier sinueux et rendez-le plus intéressant en le faisant passer par-dessus une chaise, sous une table, et ainsi de suite.
4. Demandez à votre enfant de suivre les assiettes par ordre numérique le long du sentier.
5. Refaites le jeu en traçant un sentier différent avec les assiettes.

Variation

Pour rendre le jeu plus difficile, espacez davantage les assiettes. Demandez à votre enfant de ramasser les assiettes le long du chemin.

Mise en garde

Prenez soin de tracer un sentier sur lequel votre enfant ne risque pas de se blesser en essayant d'atteindre une assiette.

Colle-toi, colle-moi !

Il suffit parfois d'un seul rouleau de ruban adhésif pour s'amuser comme des fous – et ce rouleau de ruban peut enseigner des tas de choses à votre enfant!

Matériel

- Un rouleau de ruban adhésif transparent ou coloré, comme les rubans Scotch, le ruban-cache ou du ruban isolant (N'utilisez pas de ruban entoilé.)

Apprentissages

- Conscience de son corps
- Cause et effet
- Coordination œil-main
- Motricité fine
- Résolution de problèmes
- Interaction sociale

Quoi faire

1. Enroulez de longues bandes de ruban adhésif sur votre corps en collant le ruban sur vos vêtements (et sur votre peau si vous voulez).
2. Présentez-vous devant votre enfant et montrez-lui ce que vous avez fait avec le ruban adhésif.
3. Demandez-lui de vous aider à l'enlever en lui en tendant une extrémité.
4. Guidez-le afin qu'il enlève le ruban doucement, en vous tournant ou en vous tortillant, au besoin.
5. Refaites le jeu en couvrant cette fois-ci votre enfant de ruban adhésif. (Évitez de lui en coller sur la peau.)
6. Laissez votre enfant enlever lui-même le ruban adhésif qui lui entoure le corps.
7. Refaites le jeu une autre fois en laissant votre enfant coller du ruban sur vous et l'enlever.

Variation

Collez du ruban un peu partout dans la maison et demandez à votre enfant de suivre le sentier en enlevant le ruban à mesure qu'il avance.

Mise en garde

Prenez soin de ne pas coller de ruban adhésif sur la peau de votre enfant.

Parle comme moi !

Votre enfant sait-il imiter votre voix ? Imitez les voix de divers personnages et demandez à votre enfant de les imiter à son tour !

Matériel

- Des photos de différents personnages, comme un homme, une femme, un bébé, un animal, un personnage de dessin animé, un personnage d'une émission de télé, et ainsi de suite

Quoi faire

1. Réunissez des photos de différentes personnes.
2. Montrez la première photo à votre enfant.
3. Parlez comme ce personnage, en prenant une voix amusante et originale.
4. Demandez à votre enfant de copier votre voix et de parler lui aussi comme le personnage.
5. Refaites la même chose avec les autres photos, en changeant votre voix chaque fois.

Apprentissages

- Jeu dramatique
- Expression des émotions
- Acquisition du langage et du vocabulaire
- Conscience de soi
- Interaction sociale

Variation

Demandez à votre enfant d'inventer les voix des personnages.

Mise en garde

Ne parlez pas trop fort pour éviter de vous faire mal aux oreilles.

L'heure du thé

Préparez un thé d'après-midi pour votre enfant et partagez avec lui un moment privilégié!

Matériel

- Du thé aromatisé aux fruits ou du jus de fruits
- Une théière et des tasses à thé
- Une petite table et des chaises
- Une nappe, de la vaisselle et des ustensiles de qualité
- Des gâteaux pour le thé, des biscuits ou de petits sandwichs.

Quoi faire

1. Préparez le thé en mettant une belle table avec de la vaisselle et des ustensiles de qualité.
2. Préparez du thé chaud ou froid ou du jus et versez-le dans la théière.
3. Asseyez-vous à la table, versez le thé, servez les biscuits et conversez avec votre enfant.

Apprentissages

- Art dramatique
- Acquisition du langage et du vocabulaire
- Conscience sensorielle
- Interaction sociale

4. Débarrassez la table ensemble et convenez de prendre le thé la semaine suivante.

Variation

Préparez un petit déjeuner ou un déjeuner spécial.

Mise en garde

Assurez-vous que le thé n'est pas trop chaud. Si votre enfant n'aime pas le thé, servez-lui du jus ou une autre boisson qu'il aime.

Tic tac – trouve le réveil !

Votre enfant n'a que quelques minutes pour trouver le réveil! Où peut-il bien être? Il doit écouter attentivement!

Matériel

- Une minuterie ou un réveil dont le tic tac est clairement audible

Apprentissages

- Cause et effet
- Habiletés cognitives/raisonnement
- Écoute
- Imagerie mentale
- Résolution de problèmes

Quoi faire

1. Cachez une minuterie ou un réveil dans la maison ou le jardin.
2. Faites approcher votre enfant et demandez-lui d'écouter attentivement.
3. Dites-lui qu'il a trois minutes pour trouver le réveil avant que la sonnerie ne se déclenche. Il doit écouter attentivement et suivre le tic tac du réveil!
4. S'il a de la difficulté à le trouver, donnez-lui des indices.
5. Jouez une autre fois, en donnant, cette fois-ci, moins de temps à votre enfant pour trouver le réveil.

Variation

Aidez votre enfant à trouver le réveil en lui disant «froid» ou «chaud» selon qu'il s'éloigne ou s'approche de la cachette.

Mise en garde

Ne cachez pas le réveil dans un endroit dangereux et n'oubliez pas de récompenser les efforts de votre enfant!

Comment ça s'appelle ?

Votre enfant s'amusera à trouver des noms à des objets comiques qui ne lui sont pas familiers et à imaginer ce qu'ils font! Laissez-le donner libre cours à son imagination!

Matériel

- Plusieurs objets comiques qui ne sont pas familiers à votre enfant, comme un presse-ail, une pince à épiler les poils du nez, un coquillage, un couteau à pizza, un embout d'aspirateur, une pince à friser les cils, et ainsi de suite
- Un sac en papier

Quoi faire

1. Mettez les objets dans un sac en papier et placez le sac entre vous et votre enfant.
2. Demandez à votre enfant de choisir un objet.
3. Demandez-lui d'inventer un nom comique pour l'objet.
4. Puis, demandez à votre enfant d'imaginer ce que fait l'objet et d'en décrire le fonctionnement.
5. Demandez-lui de choisir un autre objet et de refaire la même chose.
6. Continuez à jouer jusqu'à ce qu'il ait nommé et décrit tous les objets.

Apprentissages

- Capacité de classification
- Habiletés cognitives/raisonnement
- Créativité et imagination
- Acquisition du langage et du vocabulaire
- Interaction sociale

Variation

Au lieu de demander à votre enfant de décrire ce que fait l'objet, demandez-lui d'en mimer la fonction pour que vous puissiez deviner ce qu'il veut dire!

Mise en garde

Veillez à ne choisir que des objets que votre enfant peut manipuler sans danger.

Une roulette coupante

4 ANS À 4 ½ ANS

Quatre ans est un âge merveilleux. Votre enfant acquiert ses nouvelles compétences principalement en jouant. À cet âge, le jeu est pour un enfant l'équivalent du travail. Il peut utiliser l'information qu'il reçoit de manière créative et exprimer ses frustrations, ce qui favorise son développement. Voici certains aspects importants du jeu :

- Votre enfant est en train d'acquérir d'importantes compétences sociales en interagissant avec d'autres personnes – tant réelles qu'imaginaires. Mettez-le en contact avec des amis et des membres de votre famille et procurez-lui des poupées, des figurines et des animaux en peluche pour qu'il apprenne à établir diverses relations par la simulation, le partage et les jeux de rôles.

- En jouant, un enfant apprend des concepts qui jettent les bases d'apprentissages plus complexes. Chaque fois qu'il joue, il exerce son raisonnement, ses compétences langagières et sa capacité de résoudre des problèmes. Encouragez-le à exercer ces habiletés fondamentales en lui proposant des défis intéressants par le jeu.

- Le jeu aide aussi un enfant à améliorer ses habiletés physiques : manipuler des jouets, jouer avec des balles et des blocs de construction, s'amuser dans le sable ou sauter dans l'eau sont toutes des activités qui contribuent au développement physique d'un enfant. Assurez-vous qu'il a tout ce qu'il lui faut pour s'amuser.

- Le jeu procure à un enfant l'occasion de simuler sans danger des situations de la vraie vie dans un environnement contrôlé. Procurez à votre enfant des costumes, des ustensiles jouets, une trousse de médecin, des crayons et du papier, et ainsi de suite, pour l'aider à extérioriser ses intérêts et ses craintes et à s'exprimer.

Faisons un gâteau comique !

La cuisine est une activité qui peut apprendre de nombreuses habiletés importantes à un enfant. Par conséquent, faites la cuisine avec votre enfant le plus souvent possible!

Matériel

- Un mélange à gâteau jaune ou blanc
- Des bols à mélanger
- Des cuillères à mesurer et à remuer la pâte
- Un moule à gâteau rond, carré ou en forme de personnage
- Du colorant alimentaire
- Des décorations de couleur
- Une boîte de glaçage
- Des tubes de glaçage et autres décorations comestibles (facultatif)
- Un four

Apprentissages

- Cause et effet
- Habiletés cognitives/raisonnement
- Motricité fine
- Arithmétique
- Propriétés scientifiques
- Interaction sociale

Quoi faire

1. Achetez un mélange à gâteau jaune ou blanc.
2. Aidez votre enfant à mesurer, à verser, à mélanger et à battre la pâte, en suivant les instructions sur l'emballage.
3. Laissez votre enfant ajouter à la pâte mélangée son colorant alimentaire préféré.
4. Encouragez-le à remuer la pâte pour créer un motif ou à incorporer complètement le colorant pour obtenir une pâte colorée.
5. Ajoutez des éléments décoratifs colorés et mélangez.
6. Versez la pâte dans un moule à gâteau.
7. Faites cuire le gâteau en suivant les instructions sur l'emballage.
8. Une fois le gâteau refroidi, aidez votre enfant à étendre le glaçage.
9. Ajoutez-y des décorations comestibles, si vous le désirez.
10. Servez et dégustez!

Variation

Faites des biscuits, des brownies et d'autres aliments amusants à manger!

Mise en garde

Surveillez votre enfant quand il s'approche du four ou manipule des ustensiles de cuisine chauds.

Construis ta maison!

Aidez votre enfant à construire sa pre-mière maison. Une grande boîte en carton et des fournitures d'artiste sont tout ce dont vous avez besoin et, bien sûr, beau-coup d'imagination!

Matériel

- Une grosse boîte ayant servi à emballer un appareil ménager
- Des ciseaux ou des couteaux d'artiste
- Du ruban adhésif
- Des crayons-feutres, de la peinture à affiches, des décalcomanies, des autocollants, des franges, des carrés de feutres auto-adhésifs et d'autre matériel de décoration

Quoi faire

1. Rendez-vous dans un magasin et demandez une grande boîte ayant servi à emballer un appareil ménager si vous n'en avez pas gardé une après avoir acheté un réfrigérateur, une laveuse, un téléviseur grand écran, etc.
2. Fabriquez une porte d'un côté en découpant horizontalement le long du haut de la boîte et verticalement d'un côté, puis sur la même longueur en bas. Pliez le côté non découpé pour pouvoir ouvrir et fermer la porte.
3. Découpez des fenêtres de la même façon. Vous pouvez découper les quatre

Apprentissages

- Habiletés cognitives/raisonnement
- Créativité et imagination
- Motricité globale et motricité fine
- Estime de soi

côtés des fenêtres pour qu'elles soient toujours ouvertes ou vous pouvez lais-ser un côté non découpé pour permettre à votre enfant de les ouvrir et les fermer.
4. Servez-vous de ruban adhésif pour ren-forcer les ouvertures, arrondir les angles et renforcer la base.
5. Aidez votre enfant à décorer sa maison à l'aide de crayons-feutres, d'auto-collants, de décalcomanies et d'autres éléments décoratifs.
6. Laissez-le meubler la maison de petites chaises, de coussins, de jouets et d'autres objets familiers – tout ce qu'il désire!
7. Laissez-le jouer dans la maison.

Variation

Aidez votre enfant à construire une école, un hôpital, un poste de pompiers ou tout autre immeuble. Il peut fabriquer une ville entière!

Mise en garde

La prudence est de rigueur lorsque vous utilisez un couteau d'artiste près de votre enfant. Utilisez des crayons-feutres et de la peinture non toxiques.

Attrape et dis un mot !

Cette activité améliorera la coordination de votre enfant, tout en lui permettant de développer d'autres habiletés importantes.

Matériel

- Un ballon en caoutchouc de taille moyenne
- Un grand espace dégagé

Apprentissages

- Habiletés cognitives/raisonnement
- Coordination œil-main
- Motricité globale et motricité fine
- Acquisition du langage et du vocabulaire
- Réflexes
- Interaction sociale

Quoi faire

1. Trouvez un ballon de taille moyenne que votre enfant peut attraper facilement.
2. Tenez-vous dans un grand espace dégagé, de préférence à l'extérieur, à moins d'un mètre l'un de l'autre.
3. Pensez à une catégorie de choses simple, comme des jouets ou des friandises.
4. Demandez à votre enfant de penser à des exemples dans cette catégorie.
5. Commencez à vous lancer le ballon tour à tour.
6. En attrapant le ballon, chaque joueur doit dire le nom d'un objet dans la catégorie choisie.
7. Dès qu'un de vous deux échappe le ballon, changez de catégorie et reprenez le jeu.

Variation

Pour rendre le jeu plus facile, asseyez-vous sur le plancher les jambes écartées et, au lieu de vous lancer le ballon chacun votre tour, faites-le rouler de l'un à l'autre et dites le nom d'un objet dans la catégorie choisie chaque fois que vous recevez le ballon entre les jambes.

Mise en garde

Jouez dans un espace dégagé pour éviter de briser quoi que ce soit et prenez soin de lancer le ballon doucement.

Crème glacée   Biscuits

Trace des personnages à la craie !

Transformez votre enfant en super-héros, en princesse, en monstre comique, et ainsi de suite, avec l'aide d'un peu de craie!

Matériel

- Des craies de différentes couleurs
- Un trottoir ou une entrée de garage
- Une journée ensoleillée

Apprentissages

- Habiletés cognitives/raisonnement
- Créativité et imagination
- Jeu dramatique
- Expression émotionnelle
- Motricité globale et motricité fine

Quoi faire

1. Sortez par une belle journée ensoleillée en emportant avec vous des craies de couleur.
2. Demandez à votre enfant de rester immobile sur le trottoir pendant que vous dessinez le contour de son ombre.
3. Laissez-le ajouter des détails à l'aide de craies de différentes couleurs.
4. Encouragez-le à créer un personnage fantastique à partir du contour, comme un super-héros, une princesse, un monstre, et ainsi de suite.
5. Encouragez-le à dessiner autant de personnages de craie qu'il le désire!

Variation

S'il ne fait pas soleil, demandez à votre enfant de s'étendre sur le trottoir pendant que vous dessinez le contour de son corps à la craie.

Mise en garde

Assurez-vous qu'il n'y a pas d'éclats de verre ou autres objets dangereux sur le trottoir.

Une tenue de gala

Regardez votre enfant se transformer en une personne complètement différente, simplement en endossant une tenue de gala!

Matériel

- Des vêtements chics d'une friperie: robes, jupes et jumpers; pantalons, chemises et ceintures; blousons, manteaux et gilets; chaussures, chapeaux et perruques; gants, bijoux et écharpes; tissus à paillettes, plumes, fourrures, soie, chiffon, cuir, et ainsi de suite
- Une grosse boîte

Quoi faire

1. Achetez un assortiment de vêtements chics que vous mettrez dans une grande boîte.

Apprentissages

- Habiletés cognitives/raisonnement
- Créativité et imagination
- Art dramatique
- Expression des émotions
- Motricité globale et motricité fine

2. Déposez la boîte au milieu de l'aire de jeu et laissez votre enfant l'ouvrir.
3. Demandez-lui de regarder les vêtements et accessoires et d'en choisir pour se composer une tenue.
4. Quand il est habillé, demandez-lui son nom et ce qu'il va faire. Encouragez-le à agir comme son personnage.
5. Laissez votre enfant porter les vêtements pendant un certain temps, puis demandez-lui de se changer.

Variation

Demandez à votre enfant de faire un spectacle solo dans son costume ou laissez-le inviter un ami avec qui jouer un sketch.

Mise en garde

Assurez-vous qu'il n'y a pas d'épingles ou d'autres objets dangereux sur les vêtements avant de les mettre dans la boîte.

Chante en jouant du tambour !

Votre enfant peut-il interpréter une chanson en s'accompagnant au tambour? Tout ce qu'il faut est un rythme entraînant. Jouez du tambour en suivant le rythme!

Matériel

- Deux tambours ou autres objets sur lesquels frapper

Apprentissages

- Habiletés cognitives/raisonnement
- Coordination et rythme
- Expression des émotions
- Acquisition du langage et du vocabulaire
- Interaction sociale

Quoi faire

1. Trouvez deux tambours, un pour chacun de vous, ou fabriquez-en avec des boîtes de métal, par exemple des boîtes de gruau. Vous pouvez aussi utiliser le dessus d'une table ou une autre surface semblable.
2. Jouez un rythme sur le tambour, comme tap-tap-tap.
3. Demandez à votre enfant d'imaginer le rythme de son tambour.
4. Quand il maîtrise bien son rythme, ajoutez des mots pour accompagner le tambour. Par exemple, en faisant tap-tap-tap-tap, vous pouvez chanter: «Je m'appelle Jeanne.»
5. Continuez à inventer des rythmes pour le tambour et des chansons, en modifiant le rythme et les mots aussi souvent que vous le désirez.
6. Soyez le chef chacun votre tour.

Variation

Ayez une conversation dans laquelle une personne parle tandis que l'autre joue un rythme qui convient sur le tambour. Parlez et jouez du tambour tour à tour.

Mise en garde

Veillez à ce que votre enfant ne tape pas trop fort sur le tambour, car il pourrait se blesser les doigts. Si votre enfant perd le rythme, ralentissez la mesure.

De la pâte à modeler comestible

Voici de la pâte que votre enfant peut modeler, décorer, puis manger!

Matériel

- De la pâte au gingembre maison ou achetée dans le commerce
- Une table
- Des décorations ou de petits bonbons
- Des emporte-pièces, un rouleau à pâte, un couteau et une fourchette en plastique et divers autres ustensiles
- Une plaque à biscuits
- Un four

Quoi faire

1. Utilisez votre recette préférée pour faire de la pâte au gingembre ou achetez-en dans le commerce. Ajoutez un peu de farine si la pâte est mouillée, jusqu'à obtenir la consistance de la pâte à modeler. Ajoutez de l'eau si elle est trop sèche.
2. Déposez la pâte sur la table.
3. Encouragez votre enfant à utiliser toutes sortes d'ustensiles pour façonner la pâte et en faire des personnages, des animaux ou d'autres créatures qu'il aime.
4. Laissez-le les saupoudrer de décorations et de petits bonbons.

Apprentissages

- Cause et effet
- Créativité et imagination
- Expression des émotions
- Motricité fine

5. Quand il a fini, placez ses créations sur une plaque à biscuits et faites-les cuire au four en suivant les instructions dans la recette ou sur l'emballage.
6. Laissez refroidir, servez et mangez!

Variation

Préparez des biscuits au gingembre, décorez-les de glaçage et servez-les à l'heure de la collation.

Mise en garde

Surveillez toujours votre enfant lorsqu'il est près du four et assurez-vous qu'il peut manipuler les ustensiles sans danger. Si la pâte contient des œufs crus, veillez à ce que votre enfant n'en mange pas.

Transforme des chaussettes en marionnettes !

Aidez votre enfant à fabriquer des marionnettes amusantes à l'aide de chaussettes !

Matériel

- Des chaussettes propres
- Un morceau de carton
- Des ciseaux
- Des crayons-feutres indélébiles
- De la laine, des boutons et autres éléments décoratifs (facultatif)
- Une aiguille et du fil (facultatif)

Quoi faire

1. Trouvez une chaussette propre d'une taille qui irait à votre enfant.
2. Découpez un morceau de carton légèrement plus grand que la chaussette.
3. Étirez la chaussette sur le morceau de carton.
4. Demandez à votre enfant de dessiner un visage comique au bout de la chaussette à l'aide de crayons-feutres indélébiles. Aidez-le à dessiner, au besoin.
5. Dessinez la lèvre inférieure de la bouche près du talon de la chaussette.
6. Dessinez une langue et des dents aux endroits appropriés.
7. Cousez des cheveux en laine, des boutons pour les yeux et d'autres décorations, si vous le désirez.
8. Retirez le carton de la chaussette et glissez celle-ci sur la main de votre enfant.
9. Laissez-le animer ses marionnettes en ouvrant et en fermant la main tout en parlant pour elles.

Variation

Fabriquez deux marionnettes, une pour chaque main de votre enfant, et demandez-lui de donner un spectacle de marionnettes.

Mise en garde

Supervisez l'utilisation des crayons-feutres indélébiles. Si vous cousez d'autres objets sur les chaussettes, assurez-vous qu'ils sont bien fixés.

La chasse à l'aimant

Voici une chasse au trésor différente et pleine de surprises scientifiques! Faites découvrir à votre enfant quels objets sont attirés par l'aimant!

Matériel

- Un aimant qui convient pour un enfant

Apprentissages

- Capacité de classification
- Habiletés cognitives/raisonnement
- Motricité globale et motricité fine
- Propriétés scientifiques/expérimentation

Quoi faire

1. Achetez ou empruntez un aimant qu'un enfant peut utiliser. On en trouve dans les magasins de jouets ou de fournitures scolaires. Trouvez un aimant assez fort mais pas puissant au point que votre enfant ne puisse le contrôler.
2. Montrez-lui le fonctionnement de l'aimant à l'aide de quelques objets.
3. Demandez-lui de faire le tour de la maison à la recherche d'objets magnétiques.
4. Une fois qu'il a essayé plusieurs objets, demandez-lui de deviner si un objet sera ou ne sera pas attiré par l'aimant.
5. Laissez-le continuer sa chasse au trésor magnétique. Supervisez tous les tests qu'il veut faire.
6. Quand il a fini, demandez-lui de parler des objets magnétiques et des propriétés qu'ils ont en commun.

Variation

Réunissez un assortiment d'objets d'usage courant et mettez-les sur la table. Demandez à votre enfant de deviner lesquels sont magnétiques. Demandez-lui de tester les objets et de les diviser en deux piles, magnétiques et non magnétiques.

Mise en garde

Veillez à ce que les objets que votre enfant teste soient sans danger.

Des blocs géants

Aidez votre enfant à fabriquer lui-même des blocs à l'aide de cartons à lait. Il peut en ajouter un à sa collection chaque fois que vous videz un carton!

Apprentissages

- Cause et effet
- Créativité et imagination
- Motricité globale et motricité fine
- Résolution de problèmes

Matériel

- Des cartons à lait (litre, demi-litre, deux litres)
- Des ciseaux
- Un stylo ou un crayon
- Une règle
- Du ruban entoilé
- Du papier contact décoratif, des autocollants ou de la peinture à l'huile et des pinceaux

Quoi faire

1. Découpez le haut des cartons à lait.
2. Rincez et séchez les cartons.
3. Mesurez la largeur du bas du premier carton.
4. Mesurez et marquez la même distance en montant à partir de chaque coin.
5. Coupez vers le bas à partir des coins supérieurs en vous arrêtant à la marque.
6. Repliez les extrémités supérieures pour former un cube et fixez les côtés à l'aide du ruban entoilé.
7. Couvrez le cube de papier contact décoratif et d'autocollants ou peignez-le à la peinture à l'huile.

8. Refaites les mêmes opérations avec les autres cartons. Quand les blocs sont prêts, laissez votre enfant s'amuser à les empiler, à en faire des constructions et à les faire tomber!

Variation

Demandez à votre enfant de vous aider à fabriquer les blocs, ce qui lui fournira une occasion d'apprentissage supplémentaire.

Mise en garde

La prudence est de rigueur lorsque vous utilisez des ciseaux et de la peinture près de votre enfant.

La boîte mystère

Les enfants adorent les mystères. Créez un mystère à l'aide d'une simple boîte dans laquelle vous cachez un objet mystérieux!

Matériel

- Plusieurs objets qui sont familiers à votre enfant, comme une chaussure, un jouet, une poupée, une tasse spéciale, un livre aimé, et ainsi de suite
- Un sac en papier
- Une petite boîte, comme une boîte à chaussures
- Du ruban adhésif

Apprentissages

- Capacité de classification
- Habiletés cognitives/raisonnement
- Imagerie mentale
- Résolution de problèmes
- Interaction sociale

Quoi faire

1. Réunissez plusieurs objets familiers et mettez-les dans un sac de papier pour que votre enfant ne puisse pas les voir.
2. Demandez-lui de fermer les yeux, de retirer un objet du sac et de le mettre dans la boîte.
3. Fermez la boîte avec du ruban adhésif et donnez-la à votre enfant.
4. Dites-lui qu'il y a un objet mystérieux à l'intérieur.
5. Laissez-le soupeser la boîte, la brasser et réfléchir pendant un instant.
6. Donnez-lui un indice pour l'aider à deviner ce qu'il y a dans la boîte.
7. Continuez à lui donner des indices jusqu'à ce qu'il devine correctement ce qu'il y a dedans.
8. Ouvrez la boîte et montrez-lui l'objet. Refaites le même jeu.

Variation

Laissez votre enfant cacher à son tour un objet dans la boîte et vous faire deviner ce que c'est.

Mise en garde

Assurez-vous que votre enfant peut manipuler tous les objets sans danger.

Une histoire en images

On peut s'amuser à regarder des photos de famille pour se rappeler de bons moments. Voyez si votre enfant peut mettre les photos par ordre chronologique!

Matériel

- Trois ou quatre photos de vacances en famille, d'une fête d'anniversaire ou d'un autre événement important dans la vie de votre enfant
- Une table

Quoi faire

1. Mélangez les photos et disposez-les sur la table.
2. Demandez à votre enfant de se remémorer ce qui s'est passé en premier, puis de choisir la bonne photo.
3. Demandez-lui ensuite de choisir la photo représentant ce qui s'est passé après.
4. Continuez jusqu'à ce que toutes les photos soient en ordre chronologique.
5. Demandez-lui de raconter l'histoire de ce qui s'est passé du début à la fin, en lui posant des questions pour l'aider à se remémorer plus de détails.

Apprentissages

- Capacité de classification
- Habiletés cognitives/raisonnement
- Motricité fine
- Initiation à la lecture
- Narration/sériation
- Interaction sociale

Variation

Sortez plusieurs photos de différents événements et demandez à votre enfant de les classer par événement. Puis demandez-lui de mettre ces événements en ordre chronologique.

Mise en garde

Demandez à votre enfant de manipuler les photos avec soin ou faites-en faire des doubles pour son usage.

Un puzzle maison

Votre enfant s'amusera autant à créer son propre puzzle qu'à en assembler un. Veillez à choisir une image qui l'intéresse.

Matériel

- Une photo intéressante d'un membre de la famille, d'un animal favori ou d'un personnage de bande dessinée
- Un carton à affiche
- De la colle en aérosol
- Un crayon-feutre
- Des ciseaux
- Une petite boîte
- Une table

Apprentissages

- Capacité de classification/de tri
- Habiletés cognitives/raisonnement
- Motricité fine
- Imagerie mentale
- Résolution de problèmes

Quoi faire

1. Trouvez une photo intéressante.
2. Pulvérisez de la colle sur un côté du carton.
3. Appliquez la photo sur la surface encollée et laissez sécher.
4. À l'aide du crayon-feutre, dessinez des formes simples sur l'image.
5. Découpez l'image en morceaux de puzzle.
6. Mettez les morceaux dans une petite boîte.
7. Asseyez-vous à la table avec votre enfant et présentez-lui la boîte.
8. Demandez-lui de l'ouvrir, d'en verser le contenu sur la table et d'assembler le puzzle.
9. Si votre enfant a besoin d'aide, donnez-lui des indices pour qu'il puisse l'assembler lui-même.
10. Une fois le puzzle assemblé, demandez à votre enfant de parler de ce qu'il voit.

Variation

Laissez vous aider à fabriquer le puzzle depuis le début, puis demandez-lui de l'assembler.

Mise en garde

La prudence est de rigueur lorsque vous utilisez de la colle en aérosol et des ciseaux près de votre enfant. Assurez-vous aussi que la pièce est bien ventilée.

Gratte une image !

Votre enfant adorera voir son dessin se colorier comme par magie à mesure qu'il dessine sur une surface noire !

Matériel

- Du carton pour affiche ou du papier de construction
- Des ciseaux
- Un assortiment de crayons de couleur
- De la peinture noire pour affiche et un pinceau
- Un trombone ou une brochette

Quoi faire

1. Découpez un petit morceau de carton d'environ 10 cm sur 10 cm.
2. Demandez à votre enfant de colorier toute la surface du papier de différentes couleurs.
3. Demandez-lui d'appuyer fort.
4. Demandez-lui ensuite de peindre toute la surface en noir. Laissez sécher le tout complètement.
5. Donnez à votre enfant un trombone déplié ou une brochette et laissez-le dessiner en grattant la surface noire.

Apprentissages

- Cause et effet
- Créativité et imagination
- Expression des émotions
- Motricité fine

6. Il sera fasciné de voir apparaître, comme par magie, un dessin en couleurs.

Variation

Utilisez des marqueurs de marque Crayola pour obtenir un effet différent. Demandez à votre enfant de faire un dessin avec un marqueur et de repasser sur le même contour avec un autre marqueur pour le changer de couleur !

Mise en garde

Apprenez à votre enfant à être prudent quand il utilise un objet pointu.

Change de forme !

À cet âge, le corps de votre enfant est très souple, si bien qu'il peut se tourner et se contorsionner de différentes façons. Voyez combien de formes il peut prendre !

Matériel

- Une longueur de corde de la taille de votre enfant, du bout de ses orteils au bout de ses doigts, lorsqu'il a les bras étirés au-dessus de la tête
- Des ciseaux
- Un espace dégagé sur le plancher

Apprentissages

- Habiletés cognitives/raisonnement
- Motricité globale
- Conscience de soi
- Relations spatiales

Quoi faire

1. Mesurez une longueur de corde de la taille de votre enfant lorsqu'il a les brais étirés au-dessus de la tête.
2. Dégagez le plancher ou la pelouse de tout obstacle.

3. Étendez la corde sur une ligne droite et demandez à votre enfant de se coucher directement dessus.
4. Modifiez la position de la corde pour qu'elle dessine une courbe et demandez à votre enfant d'adopter la même forme.
5. Disposez la corde de manière à lui donner de nouvelles formes, comme un S, un V, une ondulation, un cercle, un triangle, et ainsi de suite.

Variation

Demandez à votre enfant de dessiner des formes avec la corde et d'essayer de prendre les mêmes formes avec son corps. Vous pouvez aussi écrire les lettres de l'alphabet avec la corde et voir s'il peut reconnaître les 26 lettres.

Mise en garde

Assurez-vous que la surface de jeu est propre et que votre enfant peut s'y étendre sans danger.

Cherche la « forme » !

Apprendre les différentes formes sera une activité amusante pour votre enfant si vous vous y prenez de la bonne façon! Proposez-lui de faire une promenade à la recherche de formes, dans la maison ou à l'extérieur.

Apprentissages

- Conscience de son corps
- Capacité de classification/tri
- Habiletés cognitives/raisonnement
- Acquisition du langage et du vocabulaire
- Interaction sociale
- Relations spatiales

Matériel

- Des endroits où il y a de nombreuses formes différentes

Quoi faire

1. Montrez à votre enfant les formes que vous souhaitez qu'il cherche pendant votre promenade, comme un cercle, un carré, un triangle, un rectangle, un ovale, et ainsi de suite.
2. Faites une promenade dans la maison, dans le jardin, dans un parc ou dans le quartier.
3. Choisissez une forme et voyez combien d'objets de cette forme votre enfant réussira à trouver.
4. Lorsqu'il en a trouvé environ cinq, passez à une autre forme et recommencez.
5. Continuez jusqu'à ce qu'il ait cherché toutes les formes.
6. Quand le jeu est terminé, prenez une collation ensemble et demandez à votre enfant de quelle forme est sa biscotte, son biscuit ou son sandwich!

Variation

Apportez un bloc-notes et demandez à votre enfant de dessiner l'objet chaque fois qu'il trouve une forme.

Mise en garde

Regardez où vous marchez pour éviter de trébucher en cherchant les formes!

Fabriquez une sculpture ensemble

Fabriquer une sculpture ensemble peut être une activité amusante, car cela vous permet d'échanger des idées créatives sur la façon de produire une œuvre d'art.

Matériel

- De la pâte à modeler, de l'argile ou d'autre matériau à sculpter
- Une table

Quoi faire

1. Achetez ou fabriquez de la pâte à modeler de différentes couleurs.
2. Divisez la pâte. Donnez-en la moitié à votre enfant et gardez l'autre moitié pour vous.
3. Commencez la sculpture en façonnant une petite quantité de pâte.
4. Demandez à votre enfant d'ajouter une petite quantité de pâte à la vôtre.
5. Continuez ainsi, en créant des pièces à ajouter à la sculpture. Observez-la changer à mesure que vous travaillez.
6. Quand toute la pâte à modeler a été utilisée, admirez votre œuvre d'art et choisissez-lui un nom ensemble.

Apprentissages

- Cause et effet
- Expression des émotions
- Motricité fine
- Résolution de problèmes
- Échange et coopération
- Interaction sociale

Variation

Laissez votre enfant travailler à sa propre sculpture pendant que vous travaillez à la vôtre. Au bout de quelques minutes, changez de place. Faites-le travailler sur votre sculpture et vice versa. Continuez jusqu'à ce que les deux sculptures soient finies.

Mise en garde

Veillez à n'utiliser que de la pâte à modeler non toxique.

Fige et recommence !

Il est facile d'écouter de la musique amusante et de danser sur le rythme. Mais votre enfant sait-il figer soudainement quand la musique s'arrête abruptement?

Matériel

- Un magnétophone à cassettes
- Des cassettes ou des CD de musique de danse

Apprentissages

- Créativité et imagination
- Expression des émotions
- Motricité globale
- Écoute
- Conscience de soi
- Relations spatiales

Quoi faire

1. Trouvez une cassette ou un CD de musique de danse entraînante.
2. Demandez à votre enfant de se tenir debout au milieu de la pièce et d'attendre que la musique commence.
3. Quand vous appuyez sur le bouton, votre enfant commence à danser.
4. Quand vous arrêtez la musique, il doit s'arrêter de danser et rester parfaitement immobile jusqu'à ce que la musique recommence.
5. Continuez ainsi jusqu'à la fin de la chanson.
6. Recommencez avec une autre chanson ou d'autres styles de musique.

Variation

Chaque fois que votre enfant arrête de danser, demandez-lui de changer de type de danse lorsque la musique recommencera. Vous pouvez aussi le charger de faire jouer la musique et de l'arrêter pendant que vous dansez.

Mise en garde

Veillez à dégager la pièce de tout obstacle.

Enfile un collier !

Laissez votre enfant fabriquer lui-même un collier avec quelques macaronis et de la ficelle.

Matériel

- Huit bols
- Du colorant alimentaire (rouge, bleu, vert et jaune)
- De petites pâtes creuses droites
- Quatre cuillères à mélanger
- Du papier absorbant
- De la ficelle
- Une grosse aiguille à laine

Apprentissages

- Cause et effet
- Habiletés cognitives/raisonnement
- Créativité et imagination
- Motricité fine
- Conscience de soi/estime de soi

Quoi faire

1. Versez quelques gouttes de colorant alimentaire, une couleur par bol, dans quatre bols.
2. Divisez les pâtes en quatre tas et mettez-les dans les quatre bols. Utilisez des pâtes droites et non coudées.
3. Mélangez les pâtes jusqu'à ce qu'elles soient colorées.
4. Versez-les sur du papier absorbant pour enlever l'excédent de colorant.
5. Laissez les pâtes sécher et mettez-les dans quatre autres bols séparés.
6. Donnez à votre enfant une longueur de ficelle pour enfiler le collier.
7. Attachez une pâte à une extrémité de la ficelle.
8. Enfilez l'autre extrémité de la ficelle dans l'aiguille à laine.
9. Faites enfiler des pâtes à votre enfant jusqu'à ce que la ficelle soit remplie.
10. Attachez les extrémités ensemble et mettez le collier autour du cou de votre enfant.

Variation

Utilisez des céréales de couleur percées de trous au lieu de pâtes.

Mise en garde

Enseignez à votre enfant à utiliser l'aiguille prudemment. Assurez-vous que le collier est assez long pour passer par-dessus la tête de votre enfant.

Le salon de coiffure

Amenez votre enfant au salon de coiffure – dans votre baignoire! Votre enfant se lavera tout en se faisant coiffer!

Matériel

- Une baignoire
- Du shampoing pour enfants
- Du colorant alimentaire
- Des pinces à cheveux
- Un miroir incassable

Quoi faire

1. Remplissez la baignoire d'eau tiède.
2. Demandez à votre enfant d'entrer dans la baignoire.
3. Versez une petite quantité de shampoing dans votre main – assez pour faire des bulles – et ajoutez quelques gouttes de colorant pour le teinter (cela se rince facilement).
4. Appliquez le shampoing sur la chevelure de votre enfant et faites mousser.
5. Tenez le miroir pour que votre enfant puisse se voir.
6. Laissez-le essayer différents styles de coiffures avec le shampoing coloré.
7. Utilisez des pinces à cheveux ou d'autres accessoires pour créer une coiffure plus amusante.
8. N'oubliez pas de prendre des photos!
9. Rincez le shampoing quand vous avez fini.

Apprentissages

- Conscience de son corps
- Créativité et imagination
- Expression des émotions
- Motricité fine

Variation

Faites mousser le shampoing dans les cheveux de votre enfant avant de le mettre dans la baignoire et laissez-le s'amuser à créer différents styles. Rincez la mousse avec du shampoing ordinaire.

Mise en garde

Utilisez du shampoing pour enfants pour éviter d'irriter les yeux. Gardez un gant de toilette à portée de la main pour essuyer le shampoing qui coule.

Les devinettes à table

Voici un jeu éducatif auquel vous pouvez jouer quand vous attendez votre repas au restaurant.

Matériel

- Plusieurs objets sur la table, comme des ustensiles, des assiettes, une salière et une poivrière, des anneaux à serviette, des cure-dents, des sachets de sucre, du sirop, des menus, etc.

Apprentissages

- Capacité de classification
- Habiletés cognitives/raisonnement
- Acquisition du langage et du vocabulaire
- Résolution de problèmes
- Interaction sociale

Quoi faire

1. Pendant que vous attendez votre repas au restaurant, dites à votre enfant que vous pensez à un objet qui se trouve sur la table.
2. Donnez-lui un indice, comme la couleur, la taille, le poids, la fonction, et ainsi de suite.
3. Laissez-le deviner ce que c'est.
4. Félicitez-le quand il devine juste!
5. S'il ne devine pas juste, donnez-lui d'autres indices.
6. Une fois qu'il a deviné juste, laissez-le choisir un objet et vous donner des indices à son tour.
7. Changez de rôle tour à tour jusqu'à ce que vous ayez épuisé tous les objets sur la table.

Variation

Étendez le jeu à tous les objets dans le restaurant.

Mise en garde

Ne laissez pas votre enfant se lever de table. Dites-lui qu'il doit repérer l'objet de son siège.

Un dessin à quatre mains

Deux têtes valent mieux qu'une pour ter-miner une œuvre d'art!

Matériel

- Deux grandes feuilles de papier
- Des crayons de couleur ou des crayons-feutres
- Une table
- Une minuterie

Apprentissages

- Cause et effet
- Créativité et imagination
- Motricité fine
- Interaction sociale

Quoi faire

1. Donnez une feuille de papier à votre enfant et gardez la deuxième pour vous.
2. Asseyez-vous face à face à table et commencez à dessiner avec les crayons de couleur ou les crayons-feutres.
3. Réglez la minuterie à une minute.
4. Quand la minuterie sonne, échangez les feuilles de papier et continuez le dessin de l'autre personne.
5. Réglez de nouveau la minuterie et continuez ainsi jusqu'à ce que les dessins soient terminés.
6. Donnez un titre aux dessins et accrochez-les au mur pour une exposition!

Variation

Dessinez tous les deux une personne ou un animal en commençant par la tête. Une fois la tête finie, échangez vos feuilles de papier et dessinez les corps. Continuez à échanger vos feuilles pour dessiner les bras, les jambes, la queue, et ainsi de suite, jusqu'à ce que le dessin soit terminé.

Mise en garde

Utilisez des crayons-feutres non toxiques.

La conversation téléphonique

Il est parfois plus amusant de parler au téléphone que face à face. Amusez votre enfant en fabriquant des téléphones cellulaires et en ayant une conversation téléphonique avec lui.

Apprentissages

- Habiletés cognitives/réflexion
- Motricité fine
- Acquisition du langage et du vocabulaire
- Interaction sociale

Matériel

- Deux petites boîtes rectangulaires, assez longues pour aller de l'oreille à la bouche de votre enfant, une boîte de bonbons par exemple
- Des ciseaux
- Du papier contact imprimé, de la peinture en aérosol, des autocollants et d'autres objets adhésifs

Quoi faire

1. Fabriquez deux téléphones cellulaires en couvrant de petites boîtes plates rectangulaires de papier contact ou de peinture en aérosol d'une couleur voyante.
2. Découpez une ouverture à une extrémité de chaque boîte pour l'oreille et une autre à l'autre extrémité pour la bouche.
3. Donnez son téléphone à votre enfant et laissez-le le décorer à son goût d'autocollants et d'autres décorations.
4. Allez à l'autre bout de la pièce et appelez votre enfant au téléphone cellulaire ou demandez-lui de vous appeler.
5. Parlez des événements de la journée ou de tout autre sujet qui vous plaît.

Variation

Si vous avez de vrais téléphones cellulaires, vous pouvez les utiliser pour jouer, mais sans les activer.

Mise en garde

Assurez-vous que tous les coins sont arrondis.

Approche en douce
et empare-toi d'un objet !

La tension monte à mesure que votre enfant s'approche subrepticement de vous et essaie de vous enlever un jouet!

Matériel

- Le plancher
- Un jouet

Apprentissages

- Conscience de son corps
- Habiletés cognitives/raisonnement
- Motricité globale et motricité fine
- Résolution de problèmes
- Interaction sociale
- Relations spatiales

Quoi faire

1. Asseyez-vous sur le plancher au milieu d'une pièce, le dos à la porte.
2. Demandez à votre enfant d'attendre dans une autre pièce et de compter jusqu'à 10.
3. Tenez un jouet ou une collation dans vos mains, derrière le dos.
4. Quand votre enfant a compté jusqu'à 10, il doit avancer sur la pointe des pieds et essayer de s'emparer du jouet ou de la collation.
5. Changez de rôle.

Variation

Portez un bandeau et placez l'objet devant vous. Votre enfant devra marcher sur la pointe des pieds et tenter de s'emparer de l'objet. Tendez le bras de temps à autre pour l'attraper quand il essaie de s'emparer de l'objet.

Mise en garde

Assurez-vous que le sol n'est pas glissant et ne tendez pas le bras trop brusquement au cas où vous toucheriez votre enfant accidentellement.

La tour chancelante

Les enfants aiment parfois mieux faire tomber des objets que de les empiler. Voici un jeu de construction amusant, qui a une fin étonnante!

Matériel

- Un plancher sans moquette ou une grande table
- Des blocs, biscottes ou autres objets empilables

Apprentissages

- Cause et effet
- Motricité fine
- Résolution de problèmes
- Interaction sociale

Quoi faire

1. Trouvez une surface de jeu plane, comme un plancher sans moquette ou une grande table.
2. Réunissez plusieurs objets empilables, par exemple des blocs, des biscottes ou de petits jouets plats.
3. Empilez-les avec votre enfant pour construire une grande tour.

4. Montrez-lui à empiler les objets de plus en plus soigneusement à mesure que la tour grandit.
5. Le joueur qui fait tomber la tour doit ramasser les pièces.
6. Jouez une autre fois!

Variation

Au lieu de construire une tour, fabriquez ou achetez un jeu dans lequel chacun tente d'enlever des pièces sans faire tomber la tour.

Mise en garde

Choisissez des objets qui ne blesseront pas votre enfant en tombant.

4 ½ ANS À 5 ANS

L'expression dramatique d'un enfant atteint un sommet pendant les années précédant son entrée à l'école. Votre enfant découvre le monde fascinant des jeux de simulacre, des rêves éveillés et des jeux de fiction. Un enfant se met parfois à parler à des amis imaginaires ou à mimer des scènes de films ou d'émissions de télé. Ces apprentissages par modèle donnent à l'enfant l'occasion d'interagir avec ses pairs de nouvelles façons, d'explorer des situations qui peuvent lui paraître étranges ou effrayantes et d'assumer des rôles qui lui apprennent à être moins égocentrique. Voici les points saillants de cette période de l'enfance :

- Votre enfant s'exprime de manière saine et créative en essayant de jouer divers rôles. Aidez-le à mettre en scène des choses qui l'intéressent, par exemple un personnage préféré, un événement récent ou un endroit familier, et fournissez-lui le matériel et les accessoires qu'il lui faut pour rendre la scène vivante.

- Votre enfant aimera plus particulièrement reconstituer des thèmes populaires, par exemple faire du ménage, aller au travail, prendre soin de poupées, jouer à l'école ou mimer des situations effrayantes, comme une maladie ou la mort. Fournissez-lui des vêtements pour se déguiser, soit en héros, en monstre, en animal, en fantôme, et ainsi de suite.

- Votre enfant a aussi besoin de vivre des aventures à l'extérieur, son imagination étant susceptible de le transporter dans la jungle, dans une forêt ou dans un volcan en pleine éruption. Aidez-le à construire des forts, des tentes et des tipis afin qu'il ait des décors dans lesquels donner vie à ses fantasmes.

La balle dans le bol

Voici un jeu simple et amusant qui est aussi un défi pour l'enfant.

Matériel

- Une aire de jeu dégagée
- Une balle qui ne rebondit pas trop
- Un grand bol

Apprentissages

- Cause et effet
- Habiletés cognitives/raisonnement
- Motricité fine et motricité globale
- Résolution de problèmes
- Relations spatiales

Quoi faire

1. Dégagez l'aire de jeu et placez un bol au milieu du plancher.
2. Asseyez votre enfant sur le plancher à une distance de 30 cm à 60 cm du bol.
3. Donnez-lui la balle et dites-lui de la lancer dans le bol. Faites-lui quelques démonstrations si cela est nécessaire.
4. Lorsqu'il a réussi à lancer la balle dans le bol à quelques reprises, faites-le reculer un peu et demandez-lui d'essayer de nouveau de lancer la balle dans le bol.

Variation

Choisissez des bols ou des contenants de différentes grosseurs et placez-les au milieu de la pièce. Mettez un autocollant ou quelque autre prix dans chaque récipient. Lorsque votre enfant réussit à lancer la balle dans un récipient donné, remettez-lui le prix qu'il contient.

Mise en garde

Évitez les bols en verre. Utilisez plutôt des bols en plastique ou en métal.

Copain-copain

On dit souvent que deux têtes valent mieux qu'une. Deux corps valent-ils mieux qu'un seul corps? Découvrez-le tout en vous amusant avec votre enfant.

Apprentissages

- Cause et effet
- Habiletés cognitives/raisonnement
- Motricité fine et motricité globale
- Résolution de problèmes
- Image de soi/conscience de soi
- Interaction sociale
- Relations spatiales

Matériel

- Une aire de jeu dégagée
- Deux rouleaux de ruban de cellophane ou de ruban adhésif de couleur

Quoi faire

1. Tenez-vous face à face, au milieu de l'aire de jeu dégagée.
2. Remettez un rouleau de ruban adhésif à votre enfant et gardez l'autre.
3. Dites-lui de commencer à s'attacher à vous à l'aide du ruban adhésif et commencez vous-même à vous attacher à lui. Enroulez le ruban adhésif autour de vos bras, de vos jambes, de vos torses, et ainsi de suite.
4. Ensuite, trouvez un moyen de traverser la pièce ensemble, en harmonisant vos mouvements!
5. Essayez de faire des tâches simples, comme ramasser des jouets, répondre au téléphone, jouer à des jeux faciles, etc.
6. Gardez des ciseaux à portée de la main si vous devez vous libérer rapidement. Une fois le jeu fini, amusez-vous à enlever chacun votre tour les morceaux de ruban adhésif.

Variation

À l'aide de ruban adhésif, faites tenir un morceau de carton le long de chaque jambe et de chaque bras de votre enfant et demandez-lui de marcher comme Frankenstein!

Mise en garde

Faites cette activité sur le gazon à l'extérieur ou sur un plancher recouvert d'une moquette et essayez de ne pas tomber sur votre enfant!

La chasse aux insectes

À cet âge, les enfants trouvent les insectes absolument fascinants! Amusez-vous ensemble en partant à la chasse aux insectes!

Matériel

- Un bloc-notes et des crayons-feutres ou un appareil photo Polaroïd
- Un jardin, un parc, un sentier pédestre ou une autre aire de jeu extérieure
- Une loupe
- Un manuel d'identification des insectes (facultatif)

Apprentissages

- Capacité de classification
- Habiletés cognitives/raisonnement
- Respect de la nature
- Relations spatiales
- Discrimination visuelle

Quoi faire

1. Rendez-vous dans un parc ou un espace vert à pied ou en voiture. Apportez un bloc-notes et du matériel à dessin, ou un appareil photo Polaroïd, si vous préférez.
2. Promenez-vous avec votre enfant et aidez-le à trouver des insectes. Utilisez une loupe pour examiner de plus près les insectes que vous trouvez.
3. Lorsque vous trouvez un insecte, demandez à votre enfant de le dessiner sur une feuille du bloc-notes avec les crayons-feutres ou photographiez-le avec votre Polaroïd.
4. Continuez à vous promener en cherchant d'autres insectes.
5. Après avoir réuni une belle collection d'insectes, rentrez à la maison pour classer les dessins ou les photos. Si vous avez utilisé un appareil photo ordinaire, faites développer les clichés.
6. Disposez les dessins ou les photos sur une table et demandez à votre enfant d'examiner les insectes. Demandez-lui de trouver des similitudes et des différences entre les insectes.
7. Si vous disposez d'un guide d'identification des insectes, demandez à votre enfant d'essayer d'identifier les insectes et étiquetez-les.

Variation

Refaites le même jeu, mais cette fois-ci partez à la chasse aux plantes. Essayez de trouver des fleurs et des plantes différentes.

Mise en garde

Prenez garde aux insectes qui mordent ou qui piquent.

La peinture faciale

Comme votre enfant est en train de développer son identité, donnez-lui quelque chose de nouveau à découvrir lorsqu'il se regarde dans un miroir.

Matériel

- De la peinture ou des crayons de couleur non toxiques pour le visage, en vente dans les boutiques de jouets ou d'artisanat
- Une table ou le plancher
- Un miroir

Quoi faire

1. Disposez la peinture ou les crayons de couleur sur la table ou sur le plancher.
2. Placez un miroir près de votre enfant pour qu'il puisse se regarder travailler.
3. Laissez-le peindre son visage en faisant appel à son imagination.
4. Une fois qu'il a terminé, prenez des photos, rendez visite à des voisins ou effrayez d'autres membres de la famille!
5. Demandez-lui d'inventer une histoire qui s'accorde avec son nouveau visage. Laissez-le mimer une scène s'il en a envie.

Apprentissages

- Créativité et imagination
- Art dramatique/expression de soi
- Motricité fine et motricité globale
- Acquisition du langage et du vocabulaire
- Conscience de soi/estime de soi

Variation

Peignez le visage de votre enfant sans le laisser regarder. Il sera étonné de ce qu'il verra lorsqu'il se regardera dans le miroir! Demandez-lui ce qu'il y a de différent dans chaque visage qu'il peint.

Mise en garde

Prenez soin d'utiliser de la peinture non toxique qui se lave facilement.

Les visages ont des émotions

Votre enfant ressent toute une gamme d'émotions, mais il ne sait pas toujours comment les exprimer. Voici un jeu qui l'aidera à mimer ses émotions.

Matériel

- Des photos découpées dans des livres d'images ou des magazines peu coûteux, qui représentent des personnes dont le visage exprime des émotions
- Des ciseaux
- Une table ou le plancher

Apprentissages

- Habiletés cognitives/raisonnement
- Expression des émotions
- Acquisition du langage et du vocabulaire
- Conscience de soi
- Interaction sociale

Quoi faire

1. Rassemblez des photos d'enfants et d'adultes dont le visage exprime des émotions.
2. Découpez les photos et empilez-les.
3. Asseyez-vous avec votre enfant à la table ou sur le plancher et mettez les photos entre vous, à l'envers.
4. Tournez une photo et montrez-la à votre enfant.
5. Demandez-lui quelle émotion il croit voir dans le visage de la personne. Suggérez-lui des mots de vocabulaire s'il a de la difficulté à s'exprimer.
6. Demandez-lui d'imiter l'expression du visage sur la photo.
7. Discutez avec votre enfant des différentes émotions qu'un visage exprime et expliquez-lui pourquoi il est important d'exprimer ses émotions.

Variation

Choisissez tour à tour une photo dans la pile, sans la montrer à l'autre. Imitez l'expression du visage sur la photo et demandez à l'autre de deviner de quelle émotion il s'agit.

Mise en garde

Soyez prudent lorsque vous utilisez des ciseaux.

Des objets en papier d'aluminium

Les enfants adorent jouer aux devinettes, plus particulièrement lorsque les objets sont amusants et familiers.

Matériel

- Quelques petits jouets qui appartiennent à votre enfant, comme une figurine, un animal en peluche, une balle, un bloc de construction, une poupée, et ainsi de suite
- Du papier d'aluminium
- Un sac de papier
- Une table ou le plancher

Apprentissages

- Capacité de classification
- Habiletés cognitives/raisonnement
- Motricité fine
- Imagerie mentale
- Interaction sociale

Quoi faire

1. Rassemblez une variété de petits jouets appartenant à votre enfant.
2. Enveloppez chaque jouet dans du papier d'aluminium.
3. Placez les jouets enveloppés dans un sac de papier et disposez-le sur la table ou le plancher, entre vous et votre enfant.
4. Demandez à votre enfant de fermer les yeux.
5. Sortez un jouet du sac et donnez-le-lui.
6. Demandez à votre enfant de tâter l'objet et d'essayer de deviner de quoi il s'agit.
7. Une fois qu'il a deviné, développez l'objet pour voir s'il a raison.
8. Continuez à sortir les objets enveloppés du sac jusqu'à ce que votre enfant les ait tous identifiés.
9. Laissez-le envelopper des objets à son tour et vous demander de les identifier.

Variation

Pour rendre le jeu plus complexe, utilisez des objets de formes semblables, comme des animaux en peluche. Votre enfant devrait avoir plus de difficulté à les distinguer.

Mise en garde

Faites en sorte que les objets enveloppés puissent être manipulés sans danger.

Suis le chef !

Soyez le chef chacun votre tour! Le suiveur doit imiter chacun des mouvements que fait le chef en se déplaçant dans la maison ou dans le jardin.

Matériel

- Une vaste aire de jeu

Quoi faire

1. Commencez par déterminer qui sera le chef.
2. Le chef doit se déplacer dans la maison ou dans le jardin, comme il lui plaît, et l'autre personne doit reproduire ses mouvements avec exactitude.
3. Soyez tour à tour le chef et le suiveur en inversant les rôles à intervalles réguliers.

Variation

Faites jouer une musique de fond pour stimuler votre enfant et l'amener à bouger de manière créative. Vous pouvez aussi vous adonner à ce jeu dans un parc ou un gymnase.

Mise en garde

Veillez à choisir un endroit sûr où la personne qui mène ou qui suit ne risque pas de se blesser. Surveillez étroitement votre enfant pour qu'il ne fasse pas de mouvements dangereux.

Sauterelles et papillons

Ce jeu apprendra à votre enfant à rester vigilant et à suivre des directives.

Matériel

- Des photos de sauterelles, de papillons et d'autres insectes qui bougent de manière intéressante
- Une pièce bien dégagée

Quoi faire

1. Trouvez des photos d'insectes dans des livres de bibliothèque ou des magazines sur la nature.
2. Discutez des divers insectes et de la façon dont ils bougent. Faites des démonstrations, au besoin.
3. Tenez-vous au milieu d'une pièce bien dégagée.
4. Dites le nom du premier insecte, par exemple : « Sauterelle ! »
5. Vous et votre enfant devez imiter le mouvement de cet insecte, dans le cas présent en sautillant comme une sauterelle.
6. Au bout de quelques instants, l'autre personne dit le nom d'un autre insecte, par exemple : « Papillon ! »
7. Vous devez alors modifier tous les deux votre façon de bouger pour imiter un papillon.
8. Dites tour à tour le nom d'un insecte apparaissant sur une photo et modifiez vos mouvements en conséquence.

Variation

Trouvez des photos d'autres animaux, comme des reptiles ou des mammifères, et imitez leurs mouvements.

Mise en garde

Veillez à ce qu'il y ait suffisamment d'espace pour que vous puissiez tous les deux bouger librement et en toute sécurité.

Dans mon sac à main

Les enfants sont curieux et ils aiment savoir ce que contient un sac à main ou un porte-documents. Ouvrez le vôtre et montrez à votre enfant ce qu'il contient.

Matériel

- Des articles dans votre sac à main ou votre porte-documents
- Une table ou le plancher

Apprentissages

- Capacité de classification
- Habiletés cognitives/raisonnement
- Acquisition du langage et du vocabulaire
- Imagerie mentale/imagination
- Interaction sociale

Quoi faire

1. Enlevez de votre sac à main ou de votre porte-documents tout article qui ne convient pas à un enfant, ainsi que tout article qu'il ne peut pas manipuler en toute sécurité.
2. Avec votre enfant, installez-vous à la table ou sur le plancher et posez votre sac à main ou votre porte-documents entre vous deux.
3. Demandez-lui ce qu'il pense qu'il y a dans votre sac à main ou dans votre porte-documents.
4. Sortez un par un tous les articles et demandez à votre enfant de les nommer, par exemple vos clés, votre portefeuille, des papiers-mouchoirs, et ainsi de suite.
5. Demandez-lui s'il sait à quoi servent ces articles.
6. Si votre enfant a du mal à nommer certains articles, donnez-lui des indices sur leur usage ou leur fonction.

Variation

Demandez à votre enfant de remplir un sac à main ou un autre sac de divers articles et devinez ensuite ce qu'il y a mis. Demandez-lui de vous donner des indices si cela est nécessaire.

Mise en garde

Prenez soin de retirer de votre sac à main ou de votre porte-documents tout article qui ne convient pas à un enfant ou qui peut être dangereux.

Une baguette magique

Votre enfant sait-il que son corps est magique ? Il ne faut qu'une baguette magique pour qu'il puisse vous montrer tout ce qu'il peut faire avec son corps !

Matériel

- Une baguette magique, par exemple un bâton de 30 cm à 60 cm de long couvert de rubans ou peint de différentes couleurs

Apprentissages

- Capacité de classification
- Créativité et imagination
- Motricité fine et motricité globale
- Acquisition du langage et du vocabulaire
- Image de soi/conscience de soi
- Interaction sociale

Quoi faire

1. Asseyez-vous avec votre enfant face à face sur des chaises.
2. Dites-lui que vous avez une baguette magique qui peut permettre à son corps de faire des choses magiques.
3. Touchez la main de votre enfant avec la baguette magique.
4. Demandez-lui de faire une démonstration des choses magiques qu'il peut faire avec sa main, par exemple des signes, serrer le poing, l'agiter ou l'ouvrir, fermer la main, la tendre, pointer du doigt, jouer du piano, et ainsi de suite.
5. Continuez à toucher d'autres parties de son corps avec la baguette magique, par exemple ses pieds, ses bras, ses jambes, son torse, sa tête, ses doigts, ses orteils, ses lèvres, ses épaules, ses genoux, et ainsi de suite.

Variation

Utilisez la baguette magique chacun votre tour et démontrez à votre enfant ce que peuvent faire les différentes parties de votre corps.

Mise en garde

Prenez soin tous les deux de ne pas enfoncer la baguette magique dans une partie du corps de l'autre.

La course à obstacles

À mesure que les enfants découvrent qu'ils peuvent faire de nouvelles choses avec leur corps, ils sont de plus en plus enclins à relever des défis. Et ils ne semblent jamais se lasser des courses à obstacles!

Matériel

- Une grande pièce parsemée d'obstacles, comme des oreillers et des coussins, des couvertures, des feuilles de papier, des boîtes de carton, des chaises et des tables, des bols, des seaux, des chambres à air, des cerceaux, des cordes, des jouets mous et des blocs de construction

Quoi faire

1. Réunissez divers objets qui vous serviront d'obstacles. Pour les franchir, votre enfant devra les traverser, les contourner, passer par-dessus ou passer en dessous.
2. Disposez ces objets pour en faire un parcours à obstacles.
3. Faites commencer votre enfant au début du parcours et demandez-lui de se rendre jusqu'à l'autre bout.

Apprentissages

- Cause et effet
- Habiletés cognitives/raisonnement
- Motricité globale
- Résolution de problèmes
- Conscience de soi
- Relations spatiales

4. Regardez-le relever les défis le long du parcours et félicitez-le au fur et à mesure qu'il franchit les obstacles.

Variation

Laissez votre enfant disposer lui-même les objets sur le parcours.

Mise en garde

Veillez à ce que votre enfant puisse franchir tous les obstacles sans danger et évitez d'utiliser des objets pointus ou cassants.

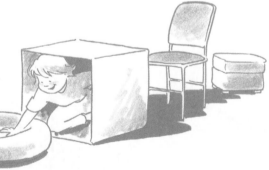

Des châteaux en assiettes
et en verres de carton

Montrez à votre enfant qu'il peut construire des choses en se servant d'à peu près n'importe quels matériaux. Laissez-le commencer par des assiettes et des verres de carton et voyez ce qu'il réussit à faire!

Apprentissages

- Cause et effet
- Habiletés cognitives/raisonnement
- Motricité fine
- Acquisition du langage et du vocabulaire
- Résolution de problèmes

Matériel

- Des assiettes de carton de différentes grosseurs et de différentes couleurs
- Des verres de carton de différentes grosseurs et de différentes couleurs
- Un plancher lisse ou une table dégagée
- Du ruban adhésif ou de la colle
- Des bâtons de Popsicle (facultatifs)

Quoi faire

1. Disposez les assiettes et les verres de carton sur un plancher lisse ou sur une table dégagée.
2. Demandez à votre enfant de construire quelque chose en se servant des assiettes et des verres de carton.
3. Faites-lui des suggestions s'il a du mal à se mettre à l'œuvre ou montrez-lui comment empiler les assiettes et les verres les uns par-dessus les autres en les faisant alterner.
4. Proposez-lui d'utiliser de la colle ou du ruban adhésif s'il veut éviter que sa construction ne s'effondre.
5. Proposez-lui d'autres matériaux de construction, comme des bâtons de Popsicle.

Variation

Travaillez avec votre enfant sur un projet de construction conjoint.

Mise en garde

Montrez à votre enfant comment utiliser du ruban adhésif ou de la colle de la bonne façon et en toute sécurité.

Des sculptures en cure-pipes

Faites cette activité amusante avec votre enfant pour l'aider à développer sa dextérité manuelle.

Matériel

- Une table
- Des cure-pipes de diverses couleurs

Apprentissages

- Cause et effet
- Habiletés cognitives/raisonnement
- Créativité et imagination
- Motricité fine
- Résolution de problèmes

Quoi faire

1. Dégagez une table et installez-y votre enfant.
2. Disposez les cure-pipes sur la table.
3. Montrez à votre enfant comment se servir de ses doigts pour plier, courber, tortiller, relier et façonner les cure-pipes.
4. Laissez-le faire à sa guise. S'il a du mal à démarrer, donnez-lui des idées. Suggérez-lui des animaux, des visages, des lettres, des bâtisses ou des sculptures qu'il pourrait essayer de reproduire.

Variation

Réalisez avec votre enfant des projets ambitieux, comme les animaux d'un zoo, les maisons et les habitants d'un village, une famille étendue, et ainsi de suite.

Mise en garde

Expliquez à votre enfant qu'il doit être prudent lorsqu'il manipule les cure-pipes, car ils ont des bouts pointus.

Magasinage et chaussures

Il est facile de marcher lorsqu'on a des chaussures à sa taille! Laissez votre enfant s'amuser à magasiner et à marcher de façon drôle en essayant des souliers!

Matériel

- Divers types de chaussures pour adultes, y compris des chaussures à talon moyen, des bottes, des sandales, des pantoufles, des chaussures de sport, etc.

Quoi faire

1. Prenez divers types de chaussures dans votre placard ou achetez-en dans une friperie.
2. Disposez les chaussures sur une rangée pour que votre enfant puisse magasiner.
3. Laissez-le choisir une paire de chaussures et l'essayer.
4. Faites-le marcher dans la maison avec ces chaussures pour qu'il les teste.
5. Demandez-lui de faire une chose particulière pendant qu'il porte ces chaussures, par exemple passer par-dessus un oreiller ou marcher sous une table.
6. Lorsqu'il a fini d'essayer une paire de chaussures, demandez-lui d'en essayer une autre.

Apprentissages

- Habiletés cognitives/raisonnement
- Motricité globale
- Résolution de problèmes
- Image de soi/conscience de soi
- Relations spatiales

Variation

Vous pouvez mélanger les chaussures pour rendre la démarche encore plus comique.

Mise en garde

Prenez soin de bien dégager l'aire où votre enfant joue et choisissez des chaussures qu'il peut porter sans risquer de se tordre une cheville. Surveillez-le étroitement pendant qu'il s'amuse à marcher avec différentes paires de chaussures.

Marche pour rire !

Maintenant que votre enfant sait marcher parfaitement, amusez-vous à marcher pour rire !

Matériel

- Une vaste aire de jeu bien dégagée

Quoi faire

1. Trouvez une vaste aire de jeu où vous avez amplement d'espace pour faire de grands mouvements.
2. Pour commencer le jeu, un de vous deux se met à marcher d'une façon comique. Par exemple, vous pouvez marcher comme si vous aviez les jambes en caoutchouc, avancer un pied et reculer l'autre, marcher sur les genoux ou marcher les jambes très écartées, marcher sur les talons ou marcher en alignant les orteils d'un pied sur le talon de l'autre, et ainsi de suite.
3. Créez tour à tour une façon de marcher comique et demandez à l'autre de vous imiter.

Variation

Pensez à d'autres mouvements comiques du corps et encouragez votre enfant à faire preuve de créativité et à marcher en bougeant tout son corps.

Mise en garde

Enlevez tout objet qui pourrait être dangereux.

Reniflons des odeurs!

Plus son monde s'élargit, mieux votre enfant distingue les odeurs! Amusez-vous à lui faire découvrir toutes sortes d'odeurs!

Matériel

- Diverses choses intéressantes qui ont une odeur caractéristique, comme une banane, une tasse de café, une tranche de pain frais, des fleurs, un parfum, un bout de caoutchouc, un ourson en peluche et ainsi de suite
- Un sac de papier
- Une table ou le plancher

Apprentissages

- Capacité de classification
- Habiletés cognitives/raisonnement
- Imagerie mentale
- Discrimination sensorielle
- Interaction sociale

Quoi faire

1. Réunissez diverses choses qui ont une odeur caractéristique et placez-les dans des sacs de papier distincts.
2. Installez-vous à une table ou sur le plancher et mettez les sacs de papier entre votre enfant et vous.
3. Ouvrez un sac et tenez-le sous son nez, en prenant soin de lui cacher ce qu'il contient.
4. Demandez à votre enfant de deviner de quelle odeur il s'agit.
5. Donnez-lui des indices s'il en a besoin.
6. Lorsqu'il devine correctement, montrez-lui l'objet.
7. Continuez le jeu jusqu'à ce qu'il ait senti le contenu de chaque sac de papier.

Variation

Choisissez des aliments qui ont des odeurs semblables et voyez si votre enfant arrive à les distinguer.

Mise en garde

Assurez-vous que les odeurs ne sont pas trop prononcées.

Quelqu'un de spécial

Voici un autre jeu de devinettes amusant! Pensez à une personne spéciale et faites deviner à votre enfant de qui il s'agit. Ce pourrait même être lui!

Matériel

- Des photos de membres de la famille, d'amis, de gens célèbres, et ainsi de suite

Apprentissages

- Capacité de classification
- Habiletés cognitives/raisonnement
- Acquisition du langage et du vocabulaire
- Imagerie mentale
- Interaction sociale

Quoi faire

1. Réunissez des photos de visages que votre enfant connaît bien et disposez-les sur la table.
2. Demandez à votre enfant d'examiner les photos.
3. Dites-lui que vous pensez à une personne spéciale. Pour découvrir de qui il s'agit, votre enfant doit vous poser des questions auxquelles vous répondrez pour oui ou par non. Suggérez-lui des questions au besoin.
4. Demandez-lui de continuer à vous poser des questions tant qu'il n'a pas deviné qui est la personne spéciale à qui vous pensez.
5. Demandez-lui à son tour de penser à une personne spéciale et, pour deviner de qui il s'agit, posez-lui des questions auxquelles il vous répondra par oui ou par non.

Variation

Pour rendre le jeu plus difficile, enlevez les photos de la table avant que votre enfant ne commence à vous poser des questions.

Mise en garde

Pour éviter que le jeu ne devienne une source de frustration, choisissez des photos de personnes que votre enfant connaît bien.

Un pique-nique avec les oursons

Il est étonnant de constater combien un enfant apprend en s'adonnant à diverses activités – même en faisant un pique-nique en compagnie d'oursons!

Matériel

- Un ou deux oursons en peluche
- Des sandwichs, des boissons, des biscuits et d'autres friandises
- Un panier à pique-nique
- Une nappe à pique-nique

Quoi faire

1. Demandez à votre enfant d'aller chercher ses oursons en peluche et de leur dire qu'ils vont aller en pique-nique.
2. Préparez des sandwichs, des friandises et des boissons.
3. Placez ces aliments et ces boissons dans le panier à pique-nique. N'oubliez pas d'inclure une nappe pour le pique-nique.
4. Rendez-vous à pied au parc et emportez les oursons et le panier à pique-nique. Installez-vous pour pique-niquer et profitez-en pour parler de choses et d'autres avec votre enfant. N'oubliez pas d'inclure les oursons de peluche dans la conversation!

Apprentissages

- Habiletés cognitives/raisonnement
- Motricité fine
- Acquisition du langage et du vocabulaire
- Expression de soi/art dramatique
- Interaction sociale

Variation

Au lieu d'aller au parc, faites votre pique-nique dans la salle familiale en faisant semblant que vous vous trouvez dans une forêt.

Mise en garde

Apprenez à votre enfant à bien emballer la nourriture pour ne pas qu'elle se gâte en cours de transport.

Parle en tapant du pied !

Ce jeu demande une bonne coordination. C'est le but du jeu ! Votre enfant peut parler tant qu'il veut, pourvu qu'il tape du pied en parlant !

Matériel

- Deux paires de chaussures dont la semelle fait du bruit lorsqu'elle tape sur le plancher, soit une paire pour vous et une paire pour votre enfant
- 2 chaises

Quoi faire

1. Demandez à votre enfant de s'asseoir sur une chaise assez basse pour que ses pieds touchent au plancher.
2. Mettez-lui les chaussures qui lui serviront de chaussures à claquettes.
3. Mettez les chaussures que vous avez choisies pour vous-même et asseyez-vous sur une chaise en face de lui.
4. Choisissez un sujet de conversation, comme vos plans pour le lendemain, les événements du jour précédent, ou encore ce que vous ferez pendant le week-end.
5. Parlez chacun votre tour. En parlant, cependant, vous devez aussi taper du pied à chaque syllabe. Par exemple, si vous dites : «Je veux aller au parc», vous devrez taper du pied tap-tap-tap-tap-tap-tap.

Apprentissages

- Coordination/conscience de son corps
- Motricité globale
- Acquisition du langage et du vocabulaire
- Interaction sociale

6. Poursuivez la conversation jusqu'à en avoir la langue et les pieds fatigués !

Variation

Mettez-vous des dés au bout des doigts et tapez sur une table avec vos doigts.

Mise en garde

Assurez-vous que les pieds de votre enfant touchent bien au sol pour éviter qu'il ne tombe en essayant de taper des pieds.

Le Petit Poucet

Encouragez votre enfant à faire de l'art dramatique en se servant de ses doigts et de ses pouces!

Matériel

- Des crayons-feutres de diverses couleurs à encre lavable
- De petits bouts de tissu
- Du ruban adhésif

Apprentissages

- Habiletés cognitives/raisonnement
- Art dramatique/imagination
- Motricité fine
- Acquisition du langage et du vocabulaire
- Habiletés sociales

Quoi faire

1. En vous servant des crayons-feutres à encre lavable, dessinez des visages sur les ongles de votre enfant. Dessinez des membres de votre famille, des amis de votre enfant ou des personnes importantes dans sa vie.
2. Coupez de petits bouts de tissu et enroulez-les autour des doigts de votre enfant, sans couvrir l'ongle.
3. Fixez les bouts de tissu en place à l'aide de ruban adhésif. Essayez d'agencer les bouts de tissu avec les couleurs des visages.
4. Encouragez votre enfant à inventer une histoire de Petit Poucet en se servant de ses doigts comme acteurs. Aidez-le à commencer si cela est nécessaire.

Variation

Coupez les doigts de vieux gants de laine. Dessinez directement sur ces bouts de gants à l'aide des crayons-feutres, puis mettez-les sur le bout des doigts de votre enfant.

Mise en garde

Prenez soin de choisir des crayons-feutres à encre lavable et non toxique.

La langue qui fourche

Votre enfant adorera ce jeu de la langue qui fourche, car ses compétences langagières se développent à un rythme fou!

Matériel

- Un livre d'exercice, ou de simples phrases difficiles à dire

Apprentissages

- Habiletés cognitives/raisonnement
- Coordination
- Acquisition du langage et du vocabulaire
- Écoute
- Résolution de problèmes

Quoi faire

1. Allez dans une librairie ou une bibliothèque et trouvez un livre d'exercices de prononciation. Choisissez des phrases adaptées à l'âge de votre enfant.
2. Demandez à votre enfant de répéter avec vous des phrases du genre: «Les chemises de l'archiduchesse sont-elles sèches» ou «Un chasseur sachant chasser sans son chien est un bon chasseur».
3. Demandez-lui de les répéter en même temps que vous.
4. Demandez-lui ensuite de les dire tout seul. Encouragez-le à dire toute la phrase sans faire de fautes.

5. Riez avec votre enfant s'il fait des fautes comiques. C'est pour le plaisir!

Variation

Travaillez ensemble à inventer vos propres phrases difficiles à dire.

Mise en garde

Prenez soin de choisir des phrases adaptées à l'âge de votre enfant pour éviter que le jeu ne devienne une source de frustration.

L'histoire d'un jouet

Voici une façon amusante d'inventer une histoire! Chaque fois que vous choisissez un nouveau jouet, l'histoire change!

Matériel

- 6 à 10 jouets appartenant à votre enfant, comme une balle, une poupée, un bloc de construction, une figurine, une pièce de Lego, une pièce de puzzle, un pinceau, une voiture, et ainsi de suite
- Un sac de papier
- Le plancher ou une table

Quoi faire

1. Mettez les jouets dans un sac de papier pour que votre enfant ne puisse pas les voir.
2. Asseyez-vous sur le plancher ou installez-vous à une table et mettez le sac entre vous et votre enfant.
3. Sortez un jouet du sac et commencez à raconter une histoire au sujet de ce jouet. Par exemple, si vous sortez une balle du sac, vous pouvez commencer votre histoire en disant : « Il était une fois une balle qui rebondissait tellement haut qu'elle se rendait jusqu'au ciel! »

Apprentissages

- Habiletés cognitives/raisonnement
- Créativité et imagination
- Acquisition du langage et du vocabulaire
- Interaction sociale

4. Sortez un autre jouet du sac et demandez à votre enfant de raconter une histoire au sujet de ce jouet. Par exemple, il peut sortir un bloc de construction du sac et dire : « La balle a rebondi au sol et a rencontré le bloc de construction qui lui a dit : "je voudrais bien pouvoir rebondir comme toi!" »
5. Continuez à sortir tour à tour les jouets du sac en modifiant l'histoire pour qu'elle convienne au jouet sorti du sac.
6. Terminez l'histoire avec le dernier jouet.

Variation

Jouez au même jeu, mais en choisissant des catégories de choses, comme des aliments, des articles de vêtement, des animaux en peluche, et ainsi de suite.

Mise en garde

Prenez soin de choisir des objets qui se manipulent sans danger.

De la musique à l'eau

Si votre enfant pense que l'eau ne sert qu'à étancher la soif ou à remplir la baignoire, montrez-lui combien il peut être amusant de s'en servir pour faire de la musique!

Matériel

- Six à huit verres identiques
- Une table
- Un pichet d'eau
- Du colorant alimentaire (facultatif)
- Une cuillère de métal

Apprentissages

- Cause et effet
- Capacité de classification
- Habiletés cognitives/raisonnement
- Créativité
- Motricité fine
- Écoute
- Résolution de problèmes

Quoi faire

1. Disposez les verres sur la table.
2. Versez environ 3 cm d'eau dans le premier verre.
3. Versez de l'eau dans les autres verres en augmentant la quantité de 2 cm à la fois.
4. Pour rendre le jeu plus amusant, versez du colorant alimentaire d'une couleur différente dans chaque verre.
5. Demandez à votre enfant de frapper doucement le premier verre avec la cuillère de métal.
6. Demandez-lui de frapper le verre suivant et de vous dire si le son est le même.
7. Demandez-lui de frapper les autres verres un par un et de noter comment le son change chaque fois.
8. Demandez-lui ce qui semble se passer. Demandez-lui de tester sa théorie.

Variation

Demandez à votre enfant de fermer les yeux et d'écouter attentivement pendant que vous frappez un verre. Puis frappez un autre verre et demandez à votre enfant si la note est plus haute ou plus basse. Vous pouvez aussi le laisser jouer un air en frappant différents verres.

Mise en garde

Assurez-vous que votre enfant frappe doucement sur les verres pour ne pas les briser.

Que peux-tu faire ?

Demandez à votre enfant de faire appel à son imagination pour inventer des jeux amusants avec diverses choses.

Apprentissages

- Habiletés cognitives/raisonnement
- Créativité et imagination
- Imagerie mentale
- Résolution de problèmes
- Conscience de soi/image de soi

Matériel

- Divers objets que votre enfant peut utiliser pour stimuler son imagination, comme un long foulard, une boîte de carton, un ballon, un bâton, une serviette, un bloc de construction, une tasse, et ainsi de suite
- Un sac de papier

Quoi faire

1. Mettez les objets dans un sac de papier.
2. Choisissez un objet et demandez à votre enfant quelles sont les différentes choses qu'il pourrait faire avec cet objet. Par exemple, si l'article est un foulard, il peut l'agiter comme un drapeau, l'enrouler en turban autour de sa tête, en faire une écharpe ou une cape, faire un nœud dedans, le transformer en collier, le rouler, le plier, le mettre en boule, le lancer, et ainsi de suite.
3. Relevez chaque usage que votre enfant trouve à l'objet. À la fin, comptez le nombre d'usages qu'il lui a trouvé.
4. Refaites le même jeu avec les autres objets.

Variation

Combinez deux objets et demandez à votre enfant d'imaginer des façons de les utiliser ensemble.

Mise en garde

Prenez soin de choisir des objets pouvant être manipulés sans danger.

Qu'est-ce que j'ai de différent ?

Votre enfant vous regarde tous les jours, mais vous voit-il vraiment ? Découvrez-le en jouant au jeu suivant !

Matériel

- Divers vêtements, bijoux, accessoires, et ainsi de suite
- Le plancher

Apprentissages

- Habiletés cognitives/raisonnement
- Acquisition du langage et du vocabulaire
- Imagerie mentale
- Résolution de problèmes
- Interaction sociale
- Discrimination visuelle

Quoi faire

1. Asseyez-vous sur le plancher avec votre enfant et placez-vous pour qu'il puisse bien vous voir.
2. Demandez-lui ce que vous portez et aidez-le à décrire vos vêtements, vos accessoires et bijoux.
3. Demandez-lui de fermer les yeux.
4. Enlevez ou modifiez un vêtement ou un accessoire que vous portez. Par exemple, vous pouvez déboutonner une veste, changer votre montre de poignet, enlever un collier, mettre vos chaussettes à l'envers, et ainsi de suite.
5. Demandez à votre enfant d'ouvrir les yeux et de trouver ce que vous avez de différent.
6. Laissez-le à son tour changer quelque chose dans sa tenue et essayez de trouver ce qu'il a de différent.

Variation

Mettez une pile de vêtements au milieu de la pièce. Lorsque votre enfant ferme les yeux, troquez un vêtement que vous portez contre un vêtement semblable dans la pile. Voyez ensuite s'il peut trouver ce que vous avez changé dans votre apparence !

Mise en garde

Prenez soin de choisir des vêtements, des accessoires et des bijoux que votre enfant peut manipuler sans danger.

5 ANS À 5 ½ ANS

À cinq ans, votre enfant qui n'a peur de rien cherche à affirmer son indépendance. Il devient de plus en plus autonome. Il peut entreprendre des tâches, travailler à ses propres projets, affiner ses habiletés et se débrouiller de mieux en mieux. En développant un sentiment de compétence, votre enfant se sent fort et sûr de lui, ce qui améliore son estime de soi qui, à son tour, nourrit son sentiment de compétence. Voici des trucs pour favoriser l'indépendance de votre enfant :

- Votre enfant aura un sentiment de fierté et d'accomplissement lorsqu'il saura faire des choses comme attacher ses lacets de chaussures, aller à bicyclette et se brosser les dents. Vous pouvez l'aider à raffermir son estime de soi en lui faisant faire des tâches amusantes qui constituent pour lui un défi, et non une source de frustration. Faites des jeux de ces tâches!

- Votre enfant se prépare à aller à l'école en apprenant à être plus indépendant. Essayez de faire des jeux qui lui enseignent à suivre des instructions, à communiquer des besoins et à prendre plaisir à apprendre.

- Votre enfant commence à apprécier la beauté du mot écrit. Vous pouvez le préparer à apprendre à lire en lui faisant la lecture, en lui racontant des histoires, en parlant beaucoup avec lui et en l'écoutant, en étant réellement à l'écoute de ce qu'il a à dire.

La journée de l'alphabet

Votre enfant aura du plaisir à apprendre l'alphabet si vous en faites un jeu à la fois amusant et stimulant!

Matériel

- Une pièce, un jardin ou même un magasin rempli d'articles faciles à identifier

Apprentissages

- Capacité de classification
- Habiletés cognitives/raisonnement
- Acquisition du langage et du vocabulaire
- Initiation à la lecture
- Interaction sociale

Quoi faire

1. Pendant 26 jours, demandez chaque jour à votre enfant de choisir une lettre de l'alphabet. Les lettres n'ont pas besoin d'être choisies dans un ordre particulier.
2. Expliquez à votre enfant le son qui correspond à la lettre et donnez-lui des exemples. S'il choisit la lettre T, faites le son d'un T et dites ensuite «table», «thon», «tonneau», «tondeuse», «tigre», «tortue», et ainsi de suite.
3. Une fois que votre enfant s'est exercé à reproduire ce son, promenez-vous avec lui dans la maison, le jardin ou le magasin et demandez-lui de trouver le plus de choses possible dont le nom commence par un T. Par exemple, dans la maison, il verra une tablette, une tasse, un tiroir, un tapis, un tournevis, et ainsi de suite.
4. Passez la journée à chercher des mots qui commencent par la lettre du jour. Le lendemain, demandez à votre enfant de choisir une nouvelle lettre.

Variation

Notez la lettre du jour sur une feuille de papier, puis demandez à votre enfant de trouver des choses commençant par cette lettre et de les dessiner.

Mise en garde

Épargnez des frustrations à votre enfant en lui rappelant le son de la lettre et en lui donnant des exemples de mots commençant par cette lettre.

Un mouvement de plus

Cultivez la mémoire de votre enfant et aidez-le à mieux maîtriser ses mouvements en vous amusant à faire le jeu suivant!

Matériel

- Une vaste aire de jeu

Apprentissages

- Conscience de son corps/ image de soi
- Habiletés cognitives/mémoire
- Créativité et imagination
- Expression des émotions
- Motricité fine et motricité globale

Quoi faire

1. Trouvez une vaste aire de jeu.
2. Tenez-vous au milieu de l'aire de jeu, l'un en face de l'autre.
3. Commencez par bouger une partie de votre corps. Par exemple, levez un bras.
4. Demandez à votre enfant d'imiter le mouvement que vous venez de faire.
5. Ajoutez un mouvement à ce premier mouvement. Votre enfant doit imiter vos deux mouvements, dans l'ordre dans lequel vous les avez faits.
6. Ajoutez des mouvements jusqu'à ce que votre enfant ne s'y retrouve plus.
7. Demandez à votre enfant de créer à son tour toute une série de mouvements que vous devrez imiter. Demandez-lui de commencer par un mouvement et d'en ajouter de nouveaux jusqu'à ce que vous ne vous y retrouviez plus.

Variation

Faites le même jeu en remplaçant les mouvements par des mots.

Mise en garde

Assurez-vous que l'aire de jeu est bien dégagée et sans danger.

Tout en rangée

En aidant votre enfant à organiser les choses par séries, vous l'aiderez à organiser son monde.

Matériel

- Des objets qui peuvent être organisés par séries :
  - Des bouts de crayons, du plus court au plus long
  - Des boutons, du plus petit au plus gros
  - Des bâtons, du plus court au plus long
  - Des boîtes de conserve, de la plus petite à la plus grosse
  - Des objets colorés, du plus foncé au plus pâle
  - Des jouets, du plus petit au plus gros
  - Des poupées, de la plus vieille à la plus neuve
  - Des vêtements, des plus doux aux plus raides
- Le plancher ou une table

Quoi faire

1. Réunissez divers objets qui peuvent être organisés par séries.
2. Mettez-les en tas au milieu de la table ou du plancher.
3. Asseyez-vous devant votre enfant, avec le tas d'objets entre vous deux.

Apprentissages

- Cause et effet
- Habiletés cognitives/raisonnement
- Motricité fine
- Acquisition du langage et du vocabulaire
- Résolution de problèmes
- Interaction sociale

4. Expliquez à votre enfant comment les objets pourraient être organisés, par exemple du plus long au plus court, du plus petit au plus gros, du plus foncé au plus pâle, et ainsi de suite.
5. Demandez-lui d'organiser les objets en les plaçant sur une rangée devant lui.
6. S'il a de la difficulté, revoyez le principe d'organisation et aidez votre enfant à choisir l'objet suivant dans la rangée.
7. Réunissez une nouvelle série d'objets et refaites-lui faire le jeu.

Variation

Au lieu de demander à votre enfant d'organiser les objets par séries, demandez-lui de les classer selon quelque autre critère d'organisation.

Mise en garde

Prenez soin de choisir des articles que votre enfant peut manipuler sans danger.

Une journée à l'envers

Votre enfant sait maintenant faire toute une foule de choses compliquées. Il aura du plaisir à essayer de les faire à l'envers.

Matériel

- Une activité qui peut se faire à l'envers, par exemple manger son repas du midi, mettre ses vêtements, faire une promenade, et ainsi de suite

Apprentissages

- Cause et effet
- Habiletés cognitives/raisonnement
- Motricité fine et motricité globale
- Résolution de problèmes
- Conscience de soi
- Interaction sociale

Quoi faire

1. Choisissez une activité familière que votre enfant peut faire à l'envers.
2. Expliquez-lui que c'est la «journée à l'envers» et qu'il doit faire les choses à l'envers.
3. Demandez-lui de s'habiller, de manger, d'aller se balader, et ainsi de suite, à l'envers!

Variation

Jouez à la journée du contraire : vous dites une chose, mais vous voulez dire le contraire.

Mise en garde

Assurez-vous que votre enfant ne fait à l'envers que des choses qui peuvent se faire à l'envers en toute sécurité.

Par là!

Souffle sur le ballon !

Les ballons sont de merveilleux jouets qui peuvent amuser un enfant de nombreuses façons, tout en lui apprenant une foule de choses!

Matériel

- Deux ballons
- Une table ou un bout de plancher bien dégagé

Apprentissages

- Cause et effet
- Habiletés cognitives/raisonnement
- Expression des émotions
- Motricité fine et motricité globale
- Résolution de problèmes
- Interaction sociale
- Relations spatiales

Quoi faire

1. Soufflez deux ballons, un pour chacun de vous.
2. Placez les ballons sur le sol à une extrémité de la pièce ou de l'aire de jeu.
3. Mettez-vous à quatre pattes derrière les ballons!
4. Soufflez chacun sur votre ballon pour le pousser jusqu'à l'autre bout de la pièce ou de l'aire de jeu.
5. La personne dont le ballon atteint le premier l'autre bout décide du jeu suivant, par exemple botter le ballon, le faire rebondir, le pousser avec le genou, le coude ou la tête, et ainsi de suite.

Variation

Organisez une course à relais. Gonflez plusieurs ballons et placez le premier sur une assiette en plastique. Marchez ou courez autour de la pièce sans laisser tomber le ballon de l'assiette. Prenez le ballon suivant et refaites le même jeu jusqu'à ce que vous ayez marché ou couru avec tous les ballons.

Mise en garde

Prenez soin de ne pas trop gonfler les ballons pour éviter qu'ils ne crèvent. Assurez-vous que l'aire de jeu est bien dégagée.

Des boîtes pour jouer aux quilles

Aidez votre enfant à développer sa dextérité en jouant aux quilles avec des boîtes!

Matériel

- Six à huit boîtes de céréales vides
- Du ruban adhésif
- Une pièce sans moquette
- Un ballon de caoutchouc de taille moyenne

Apprentissages

- Cause et effet
- Habiletés cognitives/raisonnement
- Motricité fine et motricité globale
- Conscience de soi
- Relations spatiales

Quoi faire

1. Réunissez quelques boîtes de céréales et scellez l'ouverture avec du ruban adhésif.
2. Disposez les boîtes en forme de triangle, comme des quilles, à une extrémité de la pièce sans moquette.
3. Demandez à votre enfant de se placer à l'autre extrémité de la pièce et donnez-lui le ballon.
4. Demandez-lui de lancer le ballon et d'essayer de faire tomber les boîtes de céréales.
5. Renvoyez-lui le ballon et faites-le-lui lancer jusqu'à ce qu'il ait fait tomber toutes les boîtes.
6. Remettez les boîtes en place et continuez à jouer jusqu'à ce que l'enfant se lasse du jeu.

Variation

Demandez à votre enfant de se tenir un peu plus loin des boîtes chaque fois qu'il commence une nouvelle partie. Vous pouvez aussi disposer les boîtes pour qu'elles tombent comme des dominos.

Mise en garde

Assurez-vous que votre enfant ne se trouve pas trop loin des boîtes pour réussir à les faire tomber, ce qui risquerait de le frustrer. Prenez soin d'enlever tous les objets fragiles de l'aire de jeu.

Des nuages et des formes

Vous devrez attendre une journée ennuagée pour jouer à ce jeu. Surveillez les beaux gros cumulus, qui prennent toutes sortes de formes!

Matériel

- Des nuages
- Une couverture

Apprentissages

- Habiletés cognitives/raisonnement
- Créativité/imagination
- Expression des émotions
- Acquisition du langage et du vocabulaire
- Interaction sociale

Quoi faire

1. Par une journée ennuagée, étendez une couverture à l'extérieur, sur le gazon.
2. Étendez-vous avec votre enfant, l'un à côté de l'autre, et observez les nuages.
3. Demandez à votre enfant ce qu'il voit dans les nuages.
4. Dites-lui ce que vous voyez dans les nuages.
5. À tour de rôle, inventez une histoire pour illustrer ce que vous voyez dans les nuages.

Variation

Demandez à votre enfant de dessiner des nuages qui ressemblent à des créatures. Demandez-lui d'inventer des histoires au sujet de ces créatures.

Mise en garde

Habillez-vous chaudement s'il fait froid et portez des lunettes si cela est nécessaire. Prenez soin de ne pas regarder le soleil directement.

Une danse à un mouvement

Votre enfant danse avec aisance lorsqu'il utilise tout son corps, mais qu'arrive-t-il lorsqu'il n'en utilise qu'une seule partie?

Matériel

- Un lecteur de cassettes ou de CD
- Une cassette ou un CD de musique de danse

Apprentissages

- Cause et effet
- Habiletés cognitives/raisonnement
- Expression des émotions
- Motricité fine et motricité globale
- Résolution de problèmes
- Conscience de soi/image corporelle
- Interaction sociale

Quoi faire

1. Trouvez une cassette ou un CD de musique de danse.
2. Faites jouer cette musique et écoutez le rythme.
3. Dites à votre enfant qu'il peut danser sur la musique, mais en n'utilisant qu'une partie de son corps à la fois.
4. Choisissez la partie de son corps qu'il pourra bouger, comme un doigt, une main, un genou, le visage, une épaule, une jambe, un orteil, et ainsi de suite. Demandez-lui de danser en ne bougeant que cette partie de son corps.
5. Pendant toute la chanson, touchez différentes parties de son corps pour lui faire constamment modifier sa façon de danser.

Variation

Dansez ensemble et choisissez tour à tour la partie de votre corps que vous allez bouger en dansant.

Mise en garde

Prenez soin de bien dégager l'aire de jeu pour ne pas trébucher.

Un dessin à partir d'une ligne

Les habiletés artistiques de votre enfant se sont énormément améliorées pendant cette année précédant son entrée à l'école. Aidez-le à montrer à tous qu'il a des talents d'artiste!

Apprentissages

- Habiletés cognitives/raisonnement
- Créativité et imagination
- Expression des émotions
- Motricité fine
- Interaction sociale

Matériel

- Une table
- De grandes feuilles de papier blanc
- Des crayons-feutres

Quoi faire

1. Installez-vous à la table avec votre enfant.
2. Mettez une feuille de papier et des crayons-feutres devant lui.
3. En vous servant d'un des crayons-feutres, tracez sur le papier une ligne sinueuse, droite, penchée, courbée ou angulaire.
4. Demandez à votre enfant d'examiner la ligne que vous avez tracée.
5. Demandez-lui ensuite de transformer votre ligne en un dessin, en faisant appel à son imagination.
6. Une fois qu'il a terminé son dessin, gardez-le et refaites le jeu!

Variation

Dessinez des formes au lieu d'une ligne et voyez si votre enfant peut faire un dessin à partir de ces formes.

Mise en garde

Prenez soin d'utiliser des crayons-feutres à encre non toxique.

Fige, puis sauve-toi !

Votre enfant réussit-il rapidement à arrêter complètement ses mouvements, puis à se remettre à bouger à toute vitesse? Découvrez-le en jouant à «Fige, puis sauve-toi!».

Matériel

- Une vaste aire de jeu

Apprentissages

- Conscience de son corps
- Habiletés cognitives/raisonnement
- Motricité globale
- Écoute
- Interaction sociale

Quoi faire

1. Trouvez une vaste aire de jeu, afin que votre enfant puisse courir en toute liberté.
2. Lorsque vous dites: «Sauve-toi!», votre enfant doit se mettre à courir aussi vite que possible.
3. Lorsque vous dites: «Fige!», il doit s'arrêter sur-le-champ et demeurer parfaitement immobile.
4. Continuez à dire «Fige!» et «Sauve-toi!» jusqu'à ce que votre enfant se lasse du jeu.

Variation

Inventez d'autres commandes, comme «Saute!», «Danse!», «Marche!», «Rampe!», et ainsi de suite.

Mise en garde

Prenez soin de bien dégager l'aire de jeu pour que votre enfant ne risque pas de trébucher pendant qu'il court.

Fige!

Une carte de souhaits

Aidez votre enfant à apprendre à exprimer ses émotions et à tenir compte des sentiments des autres.

Matériel

- Du papier de bricolage de différentes couleurs
- Des crayons-feutres
- Des enveloppes

Apprentissages

- Habiletés cognitives/raisonnement
- Expression des émotions
- Acquisition du langage et du vocabulaire
- Conscience de soi
- Interaction sociale

Quoi faire

1. Parlez avec votre enfant d'un membre de la famille ou d'un ami qui va bientôt fêter son anniversaire, sortir de l'hôpital, emménager dans une nouvelle maison, et ainsi de suite.
2. Pliez une feuille de papier de bricolage en quatre pour faire une carte.
3. Sur le dessus, demandez à votre enfant de faire un dessin qui exprime une émotion liée à l'événement. Par exemple, si quelqu'un est malade, il peut dessiner une personne alitée avec un thermomètre dans la bouche.
4. À l'intérieur de la carte, écrivez ce que votre enfant veut dire à la personne, comme : «Prompt rétablissement!» ou «Tu me manques!»
5. Mettez la carte dans une enveloppe et postez-la.

Variation

Encouragez votre enfant à envoyer des cartes même s'il n'y a pas d'événement particulier à souligner. Il peut envoyer des messages qui disent, par exemple : «Je t'aime!» ou «Tu es le meilleur!»

Mise en garde

Aidez votre enfant à trouver les mots qui traduisent l'émotion qu'il veut exprimer.

Si j'étais...

Que ferait votre enfant s'il était autre chose! Découvrez-le en faisant ce jeu amusant!

Matériel

- Des magazines ou des livres d'images peu coûteux
- Des ciseaux

Apprentissages

- Habiletés cognitives/raisonnement
- Créativité et imagination
- Expression des émotions
- Acquisition du langage et du vocabulaire
- Conscience de soi/image de soi
- Interaction sociale

Quoi faire

1. Découpez des photos de divers animaux, créatures, objets, endroits et autres qui stimulent l'imagination de votre enfant.
2. Empilez les photos à l'envers.
3. Demandez à votre enfant: «Que ferais-tu si tu étais un...?»
4. Laissez-le retourner la première photo et finir la phrase.
5. Demandez-lui ensuite de vous dire ce qu'il ferait s'il était ce qui est représenté sur la photo. Demandez-lui de le mimer.
6. Continuez le jeu en lui montrant les autres photos.
7. Pour rendre le jeu plus amusant, jouez son rôle de temps en temps.

Variation

Au lieu d'utiliser des photos de choses, parlez à votre enfant de situations qu'il peut imaginer, par exemple: «Que ferais-tu si tu étais égaré?», «Que ferais-tu si tu te sentais malade?», «Que ferais-tu si tu voyais un incendie?», «Que ferais-tu si tu trouvais une pièce de un dollar?», et ainsi de suite.

Mise en garde

Ne parlez pas à votre enfant de situations trop angoissantes.

Un dessin magique

Voyez les yeux de votre enfant s'illuminer lorsqu'il fera apparaître les dessins magiques!

Matériel

- Des feuilles blanches d'épaisseur moyenne
- Des crayons de couleur
- Des objets plats ayant un relief qui apparaîtra à travers le papier lorsqu'il sera frotté avec un crayon, par exemple une feuille, un napperon de dentelle en papier, une carte de crédit, une impression en relief, un stencil, un collier très plat, une pièce de monnaie, et ainsi de suite
- Un sac de papier
- Une table

Quoi faire

1. Rassemblez des objets que votre enfant peut frotter pour obtenir un dessin.
2. Placez-les dans un sac en papier pour que votre enfant ne puisse pas les voir.
3. Installez-vous à la table avec ce sac de papier, quelques feuilles et des crayons de couleur.
4. Demandez à votre enfant de fermer les yeux pendant que vous glissez un objet sous la première feuille de papier.

Apprentissages

- Cause et effet
- Habiletés cognitives/raisonnement
- Expression des émotions
- Motricité fine
- Acquisition du langage et du vocabulaire
- Interaction sociale

5. Faites-lui choisir un crayon et demandez-lui de frotter l'objet jusqu'à ce que le dessin magique apparaisse!
6. Laissez-le deviner quel est l'objet sous la feuille de papier, puis retirez-la pour qu'il voie s'il a deviné juste.
7. Refaites le même jeu avec le reste des objets.

Variation

Demandez à votre enfant de se promener dans la maison et de trouver des objets qui pourraient servir à faire des dessins magiques. Laissez-le essayer de faire un dessin avec chaque objet qu'il a choisi, puis parlez des raisons pour lesquelles certains objets donnent des dessins et d'autres pas.

Mise en garde

Utilisez des objets qu'un enfant peut manipuler sans danger et choisissez de gros crayons de couleur, plus faciles à manipuler.

Saisis l'objet !

À cet âge, un enfant sait très bien comment saisir et relâcher des objets avec ses mains. Mais peut-il ramasser des choses en se servant d'une pince?

Matériel

- De petits objets à ramasser, comme des bouts de papier, de petits jouets, des craquelins, des pois, un collier, un sandwich, et ainsi de suite
- Un plancher ou une table
- Une pince
- Un grand bol

Apprentissages

- Habiletés cognitives/raisonnement
- Coordination
- Motricité fine et motricité globale
- Résolution de problèmes
- Interaction sociale

Quoi faire

1. Réunissez divers petits objets que votre enfant trouvera assez difficile, mais non impossible, à ramasser avec une pince.
2. Installez-vous en face de lui sur le plancher ou à une table et disposez les objets entre vous deux.
3. Arrangez-les du plus facile au plus difficile à ramasser.
4. Mettez le bol d'un côté, bien à la portée de votre enfant.
5. Donnez-lui la pince et dites-lui de faire des essais.
6. Demandez-lui d'essayer de ramasser le premier objet avec la pince et de le placer dans le bol.
7. Demandez-lui de continuer à ramasser les objets avec la pince jusqu'à ce qu'ils soient tous dans le bol.

Variation

Au lieu d'utiliser une pince, demandez à votre enfant de se servir de ses orteils pour essayer de ramasser les objets.

Mise en garde

Prenez soin de choisir une pince facile à tenir, qui n'est pas munie de griffes pointues.

De la pâte à pétrir et à façonner

La pâte à modeler réserve des défis aux enfants à chaque stade de leur développement. Voici des suggestions pour l'enfant d'âge préscolaire.

Matériel

- De la pâte à modeler, de la pâte à tarte ou une autre pâte malléable
- Des ustensiles de cuisine, comme une grande cuillère, une fourchette, un couteau peu coupant, un petit bol, un presse-ail, une brochette, un emporte-pièce, une tasse, et ainsi de suite
- Une table

Quoi faire

1. Confectionnez ou achetez de la pâte à modeler.
2. Disposez la pâte à modeler et les ustensiles de cuisine sur la table.
3. Laissez votre enfant se servir des ustensiles pour créer ce qu'il veut avec la pâte à modeler.
4. S'il a de la difficulté à démarrer, donnez-lui des idées, par exemple façonner des aliments, des animaux, des bonhommes, des vêtements, des jouets, etc.

Apprentissages

- Habiletés cognitives/raisonnement
- Créativité et imagination
- Expression des émotions
- Motricité fine et motricité globale

Variation

Lorsque votre enfant a fini de s'amuser, faites cuire ses créations à 250° F pendant deux à trois heures. Il pourra alors les peindre.

Mise en garde

Apprenez à votre enfant à manipuler les ustensiles de cuisine en toute sécurité.

Ta chambre n'est plus pareille !

Réarrangez la chambre de votre enfant et voyez s'il peut découvrir ce qu'il y a de différent !

Matériel

- La chambre de votre enfant

Quoi faire

1. Demandez à votre enfant de bien regarder tout ce qu'il y a dans sa chambre.
2. Demandez-lui ensuite de quitter la pièce et de fermer la porte.
3. Pendant son absence, déplacez ou enlevez divers objets. Par exemple, vous pouvez placer un oreiller au milieu du lit, tourner le réveil-matin à l'envers, pendre ses chaussures où devrait pendre sa veste, et ainsi de suite.
4. Demandez à votre enfant de revenir dans sa chambre et de bien regarder autour de lui.
5. Demandez-lui s'il peut dire ce qu'il y a de différent.
6. Une fois que votre enfant vous a indiqué tous les changements que vous avez faits, laissez-le faire à son tour des changements que vous devrez découvrir.

Variation

Allez dans une autre pièce de la maison et refaites le même jeu.

Mise en garde

Assurez-vous que votre enfant ne réarrange aucun objet dangereux lorsque c'est son tour de réorganiser une pièce.

Un dessin secret

Votre enfant adore faire des dessins et il sera ravi de découvrir des dessins secrets dans vos œuvres d'art.

Matériel

- Un crayon blanc et une boîte de crayons de couleur
- Des feuilles de papier blanches

Quoi faire

1. Faites un dessin au crayon blanc sur une feuille de papier blanc. Ne laissez pas votre enfant voir votre dessin.
2. Demandez-lui de s'asseoir à la table et mettez votre feuille de papier devant lui.
3. Donnez-lui la boîte de crayons de couleur et dites-lui qu'il y a un dessin secret sur la feuille.
4. Il doit trouver le moyen de faire apparaître le dessin en coloriant le papier à l'aide des crayons de couleur. Le dessin au crayon blanc résistera à la couleur de tous les autres crayons et se révélera à ses yeux. Donnez-lui des indices, si cela est nécessaire.
5. Laissez votre enfant vous faire à son tour un dessin secret.

Variation

Utilisez des crayons-feutres Crayola à bout amovible, qui comptent un crayon invisible, ainsi que diverses couleurs d'encre qui révèlent le dessin secret.

Mise en garde

Utilisez de petites feuilles de papier pour éviter que votre enfant ne se lasse de colorier de grandes surfaces.

La « tag » ou le chat de l'ombre

Voici une variation amusante du tradition-
nel jeu de la «tag» ou le chat. Dites «tag»
ou «chat» en touchant l'ombre de la personne plutôt que la personne elle-même!

Matériel

- Une aire de jeu extérieure par une journée ensoleillée

Apprentissages

- Habiletés cognitives/raisonnement
- Motricité globale
- Conscience de soi/image de soi
- Interaction sociale
- Relations spatiales

Quoi faire

1. Allez jouer à l'extérieur par une belle
journée ensoleillée et trouvez l'ombre
de votre enfant pendant qu'il trouve la
vôtre.

2. Une fois que chacun de vous a repéré
l'ombre de l'autre, courez après pour
essayer de marcher dessus tout en évi-
tant que l'autre ne marche sur la vôtre.

3. La première personne qui réussit à
marcher sur l'ombre de l'autre gagne la
partie!

Variation

Tenez-vous debout de manière que votre
ombre se projette sur un mur. Donnez un
ballon à votre enfant et dites-lui d'essayer
de lancer le ballon pour qu'il frappe votre
ombre. Bougez pour rendre le jeu un peu
plus difficile!

Mise en garde

Prenez soin de choisir une aire de jeu bien
dégagée où votre enfant ne risque pas de
trébucher.

Montre tes émotions !

Il arrive parfois que les enfants aient de la difficulté à exprimer leurs émotions de manière appropriée. Voici un jeu qui aidera votre enfant à mieux prendre conscience de ses émotions et à les exprimer de manière appropriée.

Apprentissages

- Conscience de son corps
- Habiletés cognitives/raisonnement
- Expression des émotions
- Motricité globale
- Interaction sociale

Matériel

- Des photos de magazines ou de livres d'images peu coûteux montrant des personnes exprimant diverses émotions : larmes, rires, colère, frayeur, et ainsi de suite
- Des ciseaux

Quoi faire

1. Découpez des photos de personnes qui expriment des émotions.
2. Discutez avec votre enfant des émotions que les personnes expriment et expliquez-lui pourquoi ces personnes expriment des émotions.
3. Empilez les photos à l'envers.
4. Fermez les yeux pendant que votre enfant tourne la photo sur le dessus de la pile.
5. Demandez-lui de mimer l'émotion sans dire un mot.
6. Vous devez deviner l'expression qu'il cherche à exprimer.
7. Une fois que vous avez deviné correctement, changez de rôle.
8. Tournez une photo chacun votre tour et mimez l'émotion que la personne exprime.

Variation

Essayez de mimer des émotions en vous servant uniquement de vos mains !

Mise en garde

Prenez soin de choisir des émotions qui conviennent au niveau de développement de votre enfant.

Les pareils ensemble

Apprendre à classer des choses est une habileté importante qui fait partie du développement cognitif de votre enfant. Fournissez-lui de nombreuses occasions de trier et de classer des objets.

Apprentissages

- Capacité de classification
- Habiletés cognitives/raisonnement
- Acquisition du langage et du vocabulaire
- Arithmétique et calcul
- Résolution de problèmes

Matériel

- Un moule à petits gâteaux ou un carton à œufs
- Une table
- Six à huit groupes de petits articles à classer, comme des boutons, des céréales, des billes, des haricots secs, des pièces de monnaie, des raisins secs, etc.

Quoi faire

1. Placez le moule à petits gâteaux ou le carton à œufs sur une table.
2. Mettez les petits objets en pile à côté du moule ou du carton.
3. Demandez à votre enfant de s'installer à la table, à côté du matériel pour le jeu.
4. Demandez-lui de prendre un objet et de le ranger dans une cavité du moule ou du carton.
5. Laissez-lui choisir un autre objet et demandez-lui si cet objet doit être placé avec l'autre ou dans une cavité à part.
6. Discutez avec lui des similarités et des différences entre les différents objets.
7. Demandez-lui de continuer à trier les autres objets.
8. Demandez-lui de compter les objets dans chaque cavité pour voir laquelle en contient le plus grand nombre.

Variation

Chaque fois que vous emmenez votre enfant à l'épicerie, triez les aliments par groupe, comme les aliments froids, les aliments qui se mangent chauds, la viande, les légumes, les boîtes de conserve, les sacs, les friandises, et ainsi de suite. Discutez avec votre enfant des similarités et des différences entre les divers aliments.

Mise en garde

Surveillez votre enfant pour qu'il n'avale pas d'objets non comestibles.

Du théâtre dans un livre d'histoires

Donnez à votre enfant l'occasion de faire du théâtre et de jouer une histoire de son livre préféré!

Matériel

- Le livre d'histoires préféré de votre enfant
- Une serviette ou un drap
- Le plancher
- Une chaise

Apprentissages

- Habiletés cognitives/raisonnement
- Créativité/art dramatique
- Expression des émotions
- Motricité globale
- Acquisition du langage et du vocabulaire
- Conscience de soi/estime de soi

Quoi faire

1. Demandez à votre enfant de choisir dans quelques-uns de ses livres préférés des histoires qu'il aimerait jouer.
2. Étendez une grande serviette ou un drap sur le plancher pour faire une scène.
3. Asseyez-vous sur une chaise et commencez à lire lentement une des histoires que votre enfant a choisies.
4. Demandez-lui de se tenir au milieu de la scène et de jouer chaque scène que vous lisez.

Variation

Enregistrez la performance de votre enfant sur une vidéocassette et laissez-le la visionner.

Mise en garde

Prenez soin de ne pas choisir de scènes pouvant être dangereuses à jouer. Lisez lentement et donnez des indices à votre enfant, s'il en a besoin.

Trois choses

Certaines personnes disent que les bonnes choses viennent en trio! Faites cet amusant jeu des trois choses avec votre enfant!

Matériel

- Des magazines avec des tonnes de photos
- Des ciseaux
- Des petites enveloppes
- Une feuille de papier et des crayons-feutres (facultatifs)

Apprentissages

- Capacité de classification
- Habiletés cognitives/raisonnement
- Acquisition du langage et du vocabulaire
- Arithmétique et calcul
- Interaction sociale

Quoi faire

1. Trouvez des photos de magazine qui forment des ensembles de trois, comme trois garnitures de pizza, trois vêtements, trois traits sur un visage, trois personnes d'une même famille, et ainsi de suite.
2. Découpez-les et placez-les par ensembles de trois.
3. Mettez les ensembles dans des enveloppes, que vous empilerez sur la table.
4. Faites choisir une enveloppe à votre enfant, demandez-lui de retirer une photo et de vous dire ce qu'elle représente.
5. Demandez-lui ce que pourraient représenter les deux autres photos.
6. Demandez-lui de retirer une autre photo de l'enveloppe.
7. Discutez des ressemblances entre les deux photos.
8. Demandez-lui ce que la troisième photo représentera.
9. Faites-lui retirer la dernière photo de l'enveloppe.
10. Demandez-lui comment ces trois choses vont ensemble.
11. Refaites la même chose avec les autres enveloppes.

Variation

Demandez à votre enfant de réunir lui-même trois photos de choses et ce sera à votre tour de deviner comment elles vont ensemble.

Mise en garde

Soyez prudent lorsque vous utilisez des ciseaux.

Dessine avec des cure-dents !

Votre enfant peut faire des dessins en se servant de toutes sortes de matériaux. Voyez ce qu'il peut faire avec des cure-dents !

Matériel

- Des cure-dents peints ou non
- Du papier de bricolage
- Une table
- De la colle

Apprentissages

- Habiletés cognitives/raisonnement
- Créativité/imagination
- Expression des émotions
- Motricité fine

Quoi faire

1. Mettez des cure-dents sur la table.
2. Faites asseoir votre enfant à la table et demandez-lui de faire un dessin en se servant des cure-dents.
3. S'il a besoin d'aide pour démarrer, montrez-lui comment orienter les cure-dents dans différentes directions pour créer des formes, des bonhommes, et ainsi de suite.
4. Admirez son dessin une fois qu'il l'a terminé.
5. Faites-lui coller son dessin en cure-dents sur une feuille de papier de bricolage.

Variation

Ajoutez de la pâte à modeler au matériel et laissez votre enfant s'en servir pour relier ses cure-dents les uns aux autres.

Mise en garde

Demandez à votre enfant d'être prudent avec les cure-dents, car ils ont les bouts pointus.

Marche sur la corde raide !

Voici un jeu qui permet à votre enfant de faire semblant dans sa tête et avec son corps!

Matériel

- Une vaste aire de jeu
- Une corde de 1,5 m

Apprentissages

- Cause et effet
- Habiletés cognitives/raisonnement
- Créativité et imagination
- Motricité globale
- Acquisition du langage et du vocabulaire
- Résolution de problèmes
- Interaction sociale

Quoi faire

1. Trouvez une vaste aire de jeu où votre enfant peut bouger librement.
2. Étendez la corde sur le plancher en ligne droite, en laissant beaucoup d'espace de chaque côté.
3. Demandez à votre enfant de se tenir à une extrémité de la corde.
4. Dites-lui qu'il doit marcher sur la corde comme si celle-ci était un sentier de glace.
5. Une fois qu'il est arrivé à l'autre bout, demandez-lui de revenir en marchant sur la corde comme si elle était faite de braise.
6. Continuez à imaginer des surfaces sur lesquelles il peut marcher et faites-lui mimer la démarche appropriée. Pensez à un tapis de gazon, une couche épaisse de sable, de la boue glissante, des aiguilles de pin, de la neige épaisse, de la colle, et ainsi de suite.

Variation

Demandez à votre enfant d'enlever ses chaussures et de fermer les yeux en marchant, ce qui l'obligera à rester sur la corde uniquement en la sentant.

Mise en garde

Assurez-vous que l'aire de jeu est bien dégagée pour éviter que votre enfant ne trébuche ou ne se cogne sur quelque chose.

Qu'arrive-t-il après ?

Aidez votre enfant à prévoir ce qui peut arriver et à réfléchir aux conséquences en jouant à ce jeu de «Qu'arrive-t-il après?».

Matériel

- Des magazines avec des tonnes de photos ou un livre d'images bon marché
- Un fauteuil confortable

Apprentissages

- Habiletés cognitives/raisonnement
- Expression des émotions
- Acquisition du langage et du vocabulaire
- Conscience de soi
- Interaction sociale

Quoi faire

1. Installez-vous dans un fauteuil confortable avec votre enfant et faites en sorte que vous puissiez tous les deux bien voir les images.
2. Ouvrez le magazine ou le livre à une page intéressante.
3. Discutez avec votre enfant de ce qui se passe sur la photo.
4. Demandez-lui d'imaginer ce qui pourrait se passer après.
5. Une fois votre discussion terminée, passez à une autre page intéressante et refaites l'exercice.

Variation

Lisez un livre d'images à votre enfant et demandez-lui ce qui va se passer avant de tourner la page et de continuer à lire.

Mise en garde

Assurez-vous que le magazine ne contient pas d'images ne convenant pas à un enfant.

5 ½ ANS À 6 ANS

Lorsque votre enfant arrive à l'âge scolaire, ses habiletés physiques, cognitives et sociales sont en plein essor! Or, toutes les compétences qu'il a acquises à ce jour lui serviront dans ses apprentissages futurs. Continuez à lui donner des occasions d'enrichir son vocabulaire, de raffermir ses habiletés cognitives et de mieux prendre conscience de son entourage. Voici des façons de favoriser son développement global :

- Faites souvent la lecture à votre enfant, mimez les histoires que vous lui avez lues, devinez la fin des histoires et faites des dessins qui vont avec les histoires. En aidant votre enfant à améliorer ses compétences langagières et son vocabulaire, vous lui faciliterez l'apprentissage de la lecture et de l'écriture.

- Fournissez-lui toutes les occasions possibles de croire en ses compétences cognitives – la clé du succès à l'école! En outre, trouvez des moyens d'améliorer ses habiletés sociales – la clé du succès dans la vie!

- Laissez-lui beaucoup de temps libre, beaucoup d'espace et beaucoup de matériel pour qu'il puisse se servir pleinement de ses habiletés physiques. Apprenez-lui de nouvelles choses lorsqu'il est prêt.

- Encouragez-le à penser de manière créative et laissez-le essayer de résoudre ses propres problèmes. Apportez-lui de l'aide au besoin, sans toutefois résoudre ses problèmes à sa place. Posez-lui des questions pour le mettre sur la bonne voie.

- Procurez-lui de nombreuses occasions d'interagir socialement pour qu'il continue à apprendre à bien s'entendre avec les autres. Encouragez-le à collaborer, à partager et à apprécier la compagnie des autres.

- Veillez à la croissance et au développement global de votre enfant comme vous avez commencé à le faire : en jouant avec lui!

Mime-le !

Votre enfant peut parler, mais peut-il s'exprimer d'autres façons ? Voyez-le en faisant un jeu de « Mime-le ! ».

Matériel

- Des livres d'images

Quoi faire

1. Laissez votre enfant trouver un livre d'images qu'il aimerait mimer. Demandez-lui de garder son choix secret.
2. Lorsqu'il est prêt, demandez-lui de vous faire connaître le sujet de l'histoire – sans parler ! Il doit mimer l'histoire sans dire un mot, et vous devez essayer de deviner quelle est cette histoire.

Creuser !

Apprentissages

- Habiletés cognitives/raisonnement
- Art dramatique
- Expression des émotions
- Résolution de problèmes
- Conscience de soi
- Interaction sociale

3. Pendant que votre enfant mime l'histoire, dites les mots qui expliquent ce qu'il fait.
4. Une fois le jeu terminé, lisez l'histoire ensemble et voyez ce que vous aviez deviné.

Variation

Demandez à votre enfant de mimer d'autres choses, comme sa journée à la maternelle, un film qu'il a vu, une histoire au sujet d'une personne de la famille, et ainsi de suite.

Mise en garde

Demandez à votre enfant de choisir une histoire qu'il connaît très bien. Ainsi, il comprendra mieux ce qu'il doit mimer.

C'est tout mêlé !

Votre enfant devient plus logique. Jouez à «C'est tout mêlé!» pour voir s'il peut deviner ce qui cloche!

Matériel

- Diverses choses qui vont ensemble, comme les ingrédients d'un sandwich, les articles d'un ensemble, les pièces d'un puzzle, etc.

Apprentissages

- Cause et effet
- Habiletés cognitives/raisonnement
- Acquisition du langage et du vocabulaire
- Résolution de problèmes
- Interaction sociale

Quoi faire

1. Réunissez les articles nécessaires pour le jeu.
2. Commencez l'activité – mais faites quelque chose qui n'est pas normal et voyez si votre enfant le remarque. Par exemple, si vous faites un sandwich, dites : «Je commence par étendre le pain sur le beurre d'arachide!»
3. Il devrait dire : «C'est tout mêlé!»
4. Terminez la tâche qui vous occupait en faisant certaines choses comme il faut, mais en en mêlant d'autres. Encouragez votre enfant à vous prendre en défaut dès que vous faites quelque chose d'anormal.
5. Donnez à votre enfant la chance de mêler les choses et voyez si vous pouvez le prendre en défaut!

Variation

Racontez à votre enfant une histoire qui est toute mêlée. Demandez-lui de vous dire ce qui cloche et voyez s'il se souvient de la vraie histoire.

Mise en garde

Si votre enfant ne comprend pas très bien et se sent frustré, donnez-lui plein d'indices et d'encouragements.

C'est tout mêlé !

Une promenade en aveugle

Faites faire à votre enfant une promenade en aveugle et donnez-lui un nouveau point de vue sur le monde!

Matériel

- Un endroit au grand air
- Un bandeau pour les yeux (facultatif)

Apprentissages

- Habiletés cognitives/raisonnement
- Imagerie mentale
- Résolution de problèmes
- Sensibilité sensorielle
- Interaction sociale
- Relations spatiales

Quoi faire

1. Trouvez un endroit en plein air que vous pouvez explorer ensemble.
2. Dites à votre enfant de fermer les yeux et de vous faire confiance. Un bandeau sur les yeux est idéal, si votre enfant veut bien en mettre un.
3. Demandez-lui de vous tenir la main en marchant.
4. Encouragez-le à parler de ce qu'il entend, sent et ressent.
5. Arrêtez-vous de temps en temps et faites-lui toucher un arbre, un caillou, une fleur, et ainsi de suite!
6. Faites-lui décrire ce qu'il touche et demandez-lui de deviner de quoi il s'agit. Dites-lui s'il a deviné juste.
7. Continuez à marcher avec votre enfant et à lui faire découvrir ce qui l'entoure sans se servir de ses yeux. Assurez-vous cependant qu'il se sent bien et en confiance.

Variation

Laissez votre enfant vous guider dans une promenade en aveugle, mais rappelez-lui d'éviter les objets dangereux.

Mise en garde

Surveillez bien les choses qui pourraient blesser ou faire sursauter votre enfant, comme une branche tombante, un sentier étroit, des cailloux, des insectes, etc.

Un mécanisme d'horlogerie

Trouvez une vieille horloge ou un appareil mécanique qui traîne dans le garage ou le grenier. Votre enfant s'amusera à découvrir le mécanisme qui le fait fonctionner.

Matériel

- Une vieille horloge ou quelque autre appareil mécanique qu'on peut démonter sans danger
- Une table ou le plancher
- Un tournevis et d'autres outils simples

Apprentissages

- Cause et effet
- Habiletés cognitives/raisonnement
- Motricité fine
- Acquisition du langage et du vocabulaire
- Résolution de problèmes
- Interaction sociale

Quoi faire

1. Trouvez une vieille horloge ou achetez-en une bon marché.
2. Placez-la sur la table ou sur le plancher.
3. Donnez un tournevis et quelques autres outils à votre enfant.
4. Demandez-lui de démonter l'horloge.
5. Laissez-le découvrir comment s'y prendre pour le faire. Donnez-lui des indices, au besoin.
6. Une fois les pièces de l'horloge enlevées, discutez avec lui de leur rôle et du fonctionnement de l'horloge.

Variation

Demandez à votre enfant de remonter l'horloge ou choisissez un autre appareil mécanique qu'il peut démonter.

Mise en garde

Veillez à ce que votre enfant soit prudent avec les outils, plus particulièrement ceux qui ont un bout pointu.

Une couleur à la fois

Votre enfant est en train d'apprendre que les symboles ont une signification. Ses gestes, ses paroles et ses habiletés préscolaires se précisent. Laissez-le s'amuser à agir selon la couleur que vous lui montrez.

Matériel

- Des feuilles de papier de bricolage (rouge, bleu, jaune et vert)
- Des crayons-feutres ou des crayons de couleur
- Une vaste aire de jeu

Quoi faire

1. Réunissez quatre feuilles de papier de bricolage de couleurs différentes – rouge, bleu, jaune et vert – ou demandez à votre enfant de colorier des feuilles blanches à l'aide de crayons-feutres.
2. Trouvez une vaste aire de jeu où votre enfant peut courir librement.
3. Expliquez-lui que chaque fois que vous lui montrez une couleur, il doit faire une chose associée à cette couleur. Par exemple, si vous lui montrez la feuille rouge, il doit sauter ; si vous lui montrez la feuille bleue, il doit courir, et ainsi de suite.
4. Demandez-lui de se tenir au milieu de l'aire de jeu.
5. Montrez-lui une des feuilles de couleur et voyez s'il fait ce qu'il est censé faire quand il voit cette couleur.

Apprentissages

- Habiletés cognitives/raisonnement
- Motricité globale
- Imagerie mentale
- Interaction sociale

6. Montrez-lui une autre couleur. Il doit immédiatement se mettre à faire ce que cette couleur lui dit de faire.
7. Continuez à lui montrer les feuilles de couleur en changeant les choses qu'il doit faire jusqu'à ce qu'il se lasse du jeu.

Variation

Pour faire du jeu un vrai défi, utilisez un plus grand nombre de couleurs et rendez les choses à faire plus difficiles.

Mise en garde

Commencez lentement pour éviter que votre enfant ne se lasse trop rapidement du jeu.

Dessine la musique !

Il est relaxant de dessiner la musique qu'on entend ! C'est aussi une activité éducative qui donne à votre enfant l'occasion de s'exprimer de diverses façons.

Matériel

- Un lecteur de cassettes et une variété de musique préenregistrée
- Une tablette à dessin
- Des crayons-feutres ou des crayons de couleur

Apprentissages

- Habiletés cognitives/raisonnement
- Créativité et imagination
- Expression des émotions
- Conscience de soi/estime de soi
- Interaction sociale

Quoi faire

1. Enregistrez différents styles de musique, par exemple de la musique classique, country, pop, rock et hip-hop, des chansons d'enfants, et ainsi de suite. Enregistrez entre une et trois minutes de chaque type de musique.
2. Remettez à votre enfant une tablette à dessin et des crayons-feutres ou des crayons de couleur.
3. Faites jouer la musique et demandez-lui de dessiner ce qui lui vient à l'esprit.
4. Lorsque la musique change, demandez-lui de changer de page et de commencer un nouveau dessin en s'inspirant de la musique qui joue.
5. Continuez à le faire changer de page chaque fois que la musique change jusqu'à ce que la cassette ait joué complètement.
6. Mélangez ses dessins et rembobinez la cassette. Faites rejouer la musique et voyez s'il se souvient du dessin qui va avec chaque style de musique.
7. Amenez votre enfant à parler des sentiments que chaque style de musique lui inspire.

Variation

Enregistrez des sons qui ne sont pas nécessairement musicaux, par exemple un moteur qui tourne, de l'eau qui coule, des oiseaux qui chantent, et ainsi de suite. Suivez les étapes précédentes et voyez ce que votre enfant dessine en entendant ces sons.

Mise en garde

Évitez de faire jouer de la musique déprimante ou de la musique trop difficile à suivre.

De drôles de visages

Amusez-vous à mélanger des parties de visages pour créer de drôles de personnes, puis demandez à votre enfant de redonner aux visages leur apparence originale.

Matériel

- Des magazines avec de grandes photos de visages
- Des ciseaux
- De la colle ou du ruban adhésif
- Du papier de bricolage

Apprentissages

- Capacité de classification
- Habiletés cognitives/raisonnement
- Motricité fine
- Imagerie mentale
- Résolution de problèmes
- Conscience de soi/estime de soi

Quoi faire

1. Découpez de grandes photos de visages dans des magazines.
2. Découpez des yeux, des nez et des bouches et faites-en des piles distinctes.
3. Avec du ruban adhésif ou de la colle, fixez les parties restantes des visages sur des morceaux de papier de bricolage.
4. Ensuite, placez les mauvais yeux, le mauvais nez et la mauvaise bouche sur les divers visages.
5. Demandez à votre enfant d'examiner les drôles de visages que vous avez composés.
6. Demandez-lui s'il peut déterminer à quels visages les différents traits appartiennent normalement.
7. Demandez-lui de refaire les visages tels qu'ils devraient être.
8. Collez les différents morceaux pour refaire les vrais visages.

Variation

Laissez votre enfant choisir à son tour les visages et découper les traits pour faire de drôles de visages.

Mise en garde

Manipulez toujours les ciseaux avec prudence.

Devine au toucher !

Les enfants d'âge préscolaire apprennent énormément en se servant de leurs sens. Aidez votre enfant à développer son sens du toucher en vous amusant à faire le jeu qui suit !

Matériel

- Six à huit sacs de papier
- Six à huit articles à tâter, comme une éponge, une boule d'argile, une poignée d'élastiques, un bout de papier à poncer, un bonbon collant, un chou en ruban, une fleur, et ainsi de suite
- Une table ou le plancher

Apprentissages

- Capacité de classification
- Habiletés cognitives/raisonnement
- Acquisition du langage et du vocabulaire
- Imagerie mentale
- Conscience sensorielle
- Interaction sociale

Quoi faire

1. Placez un article dans chaque sac et fermez-le.
2. Placez les sacs sur une table ou sur le plancher, entre votre enfant et vous.
3. Faites-lui choisir un sac et demandez-lui de l'ouvrir et d'y plonger la main sans regarder.
4. Au lieu de lui demander de nommer l'article, demandez-lui de vous le décrire au toucher, en vous donnant le plus de détails possible.
5. Lorsqu'il a terminé sa description de l'article, vous devez essayer de deviner de quoi il s'agit.
6. Demandez à votre enfant de retirer l'article du sac pour voir si vous avez bien deviné.
7. Continuez le jeu en lui faisant ouvrir les autres sacs.

Variation

Demandez à votre enfant de réunir des choses que vous pouvez tâter afin qu'il devine de quoi il s'agit.

Mise en garde

Choisissez des objets pouvant être manipulés sans danger.

Le golf au doigt

Votre enfant est de plus en plus habile de ses doigts, qui lui obéissent mieux. Vous verrez qu'il appréciera sa dextérité manuelle en jouant au golf au doigt!

Matériel

- Une vaste aire de jeu
- Des balles de ping-pong ou de golf
- Six feuilles de papier de bricolage vert
- Des ciseaux
- Un crayon-feutre noir
- Du ruban à double face adhésive

Quoi faire

1. Trouvez une vaste aire de jeu.
2. Faites des verts en découpant à l'aide de ciseaux des ronds dans du papier de bricolage.
3. Numérotez chaque vert et dessinez au milieu de chacun un rond d'environ 7,5 cm de diamètre.
4. Placez les verts dans la pièce selon un ordre consécutif, à environ un mètre les uns des autres.
5. Fixez les verts en place à l'aide de ruban à double face adhésive.
6. Mettez du ruban à double face adhésive sur les trous des verts pour retenir la balle.
7. Mettez les balles de golf ou de ping-pong à environ un mètre du premier trou.

Apprentissages

- Cause et effet
- Habiletés cognitives/raisonnement
- Coordination œil-main
- Motricité fine
- Arithmétique et calcul
- Résolution de problèmes
- Interaction sociale

8. Jouez chacun votre tour. Vous devez vous servir de vos doigts pour faire rouler la balle vers le premier trou.
9. Chacun votre tour, poussez votre balle vers le trou jusqu'à ce qu'elle y arrive.
10. Lorsque vos balles ont atteint le premier trou, passez au trou suivant.

Variation

Installez un golf miniature dans votre jardin pour favoriser le développement de la motricité globale de votre enfant. Utilisez des bâtons et des balles en plastique et faites preuve de créativité en dessinant les trous.

Mise en garde

Prenez soin de ne pas claquer les doigts trop fort, car cela peut faire mal.

Un cirque de puces

Allez faire un tour au cirque des puces! Voilà un jeu créatif qui stimule l'imagination!

Matériel

- Du papier de bricolage
- Des ciseaux
- Des crayons-feutres
- Une table ou le plancher
- Des puces imaginaires

Apprentissages

- Habiletés cognitives/raisonnement
- Créativité et imagination
- Motricité fine
- Interaction sociale

Quoi faire

1. Découpez trois grands cercles dans du papier de bricolage pour former votre cirque à trois arènes.
2. Placez les cercles sur la table ou le plancher, assez rapprochés les uns des autres.
3. Faites asseoir votre enfant devant les arènes du cirque.
4. Dites-lui qu'il est devant un cirque de puces et que les artistes sont tellement petits qu'ils sont à peine visibles.
5. Pour stimuler l'imagination de votre enfant, utilisez votre doigt pour lui montrer les différents numéros des puces. Par exemple, vous pouvez dire: « Voici la puce lion et, de l'autre côté, il y a la puce dompteur! Maintenant, regarde bien la puce lion sauter à travers le cerceau! Bravo! Elle a réussi! Tiens, la puce dompteur lui donne une gâterie pour la récompenser! Regarde, voici les puces qui font les clowns! Tu vois la puce qui fait des sauts périlleux? » Continuez à promener votre doigt pendant que vous décrivez les numéros pour que votre enfant puisse vous suivre en imagination.
6. Laissez-le vous dire ce qui se passe d'autre au cirque des puces et faites-lui utiliser son doigt pour vous montrer ce qu'il décrit.

Variation

Créez d'autres événements miniatures et demandez à votre enfant d'imaginer ce qui s'y passe.

Mise en garde

Si votre enfant finit par se sentir confus ou frustré, rappelez-lui que vous jouez à faire semblant.

Des pieds et des mains

Votre enfant peut distinguer ses mains de ses pieds, mais peut-il distinguer l'empreinte de ses mains de l'empreinte de ses pieds ? Laissez-le s'amuser à suivre le sentier des pieds et des mains !

Matériel

- Du papier de bricolage
- Des crayons-feutres
- Des ciseaux
- Du ruban à double face adhésive

Apprentissages

- Habiletés cognitives/raisonnement
- Motricité fine et motricité globale
- Résolution de problèmes
- Conscience de soi
- Relations spatiales

Quoi faire

1. En vous servant d'un crayon-feutre, tracez le contour des mains et des pieds nus de votre enfant sur du papier de bricolage. Découpez ces formes pour faire des empreintes de mains et de pieds.
2. Reproduisez ces empreintes de mains et de pieds en plusieurs exemplaires.
3. Mettez au dos de vos empreintes du ruban à double face adhésive.
4. Collez-les sur le plancher de manière à former un sentier qui va d'un bout à l'autre de la pièce.
5. Demandez à votre enfant de mettre un pied sur la première empreinte de pied et une main sur la première empreinte de main. Assurez-vous qu'il choisit le bon côté, droit ou gauche, comme il doit le faire.
6. Demandez-lui de progresser le long du sentier en posant les mains et les pieds sur les empreintes appropriées jusqu'à ce qu'il arrive à l'autre bout.

Variation

Pour rendre le jeu plus difficile, disposez les empreintes plus espacées les unes des autres.

Mise en garde

La première fois que vous faites ce jeu, prenez soin de placer les empreintes assez rapprochées pour que votre enfant puisse les atteindre facilement.

Tableau « je suis capable »

Votre enfant peut apprécier toutes les choses qu'il sait faire en confectionnant un tableau «JE SUIS CAPABLE» qui met en relief tous ses accomplissements!

Matériel

- Du carton pour affiche
- Une règle
- Des crayons-feutres
- Des autocollants ou des étoiles

Quoi faire

1. Confectionnez le tableau en dessinant une grille sur du carton pour affiche.
2. Écrivez «JE SUIS CAPABLE» tout en haut.
3. Du côté gauche, notez diverses tâches que votre enfant peut déjà faire, par exemple : «brosser mes dents», «m'habiller», «nourrir le chien», et ainsi de suite.
4. Chaque semaine, ajoutez une nouvelle tâche que votre enfant a accomplie. Revoyez toute la liste avec lui de temps en temps pour lui montrer tout ce qu'il sait faire.

Apprentissages

- Habiletés cognitives/raisonnement
- Motricité fine et motricité globale
- Résolution de problèmes
- Conscience de soi/estime de soi

Variation

Dressez une liste des nouvelles tâches que vous voulez que votre enfant soit capable de faire à l'avenir et aidez-le à atteindre ces buts. Chaque fois qu'il réussit une tâche, ajoutez-la sur son tableau «JE SUIS CAPABLE».

Mise en garde

Essayez de trouver chaque semaine au moins une tâche que votre enfant a accomplie, même si elle est très mineure. Toute grande réalisation commence par un petit pas!

Je suis capable de ...
Brosser mes dents √
Lacer mes chaussures √
Nourrir le chien √
Aider maman à laver la vaisselle √

Des lettres magiques

Avec un peu d'imagination, votre enfant peut s'amuser à transformer des lettres de l'alphabet en dessins magiques !

Matériel

- Une table
- Une tablette à dessin
- Des crayons-feutres ou des crayons de couleur

Apprentissages

- Habiletés cognitives/raisonnement
- Créativité et imagination
- Coordination œil-main
- Motricité fine
- Acquisition du langage et du vocabulaire
- Initiation à la lecture
- Initiation à l'écriture
- Interaction sociale

Quoi faire

1. Installez-vous à une table avec votre enfant.
2. Demandez-lui de nommer une lettre de l'alphabet.
3. Tracez cette lettre en gros caractère au milieu d'une feuille de papier à dessin.
4. Poussez la feuille vers votre enfant et demandez-lui de transformer la lettre en un dessin comique d'un animal, d'une forme ou d'un objet.
5. Tracez une autre lettre et continuez le jeu.

Variation

Choisissez des chiffres ou d'autres symboles que votre enfant peut transformer en dessins comiques.

Mise en garde

Tracez de grosses lettres pour laisser à votre enfant autant d'espace que possible pour exprimer sa créativité.

Fais une chaîne !

Demandez à votre enfant de confectionner une chaîne dont chaque anneau représente une journée avant un événement spécial !

Matériel

- Du papier de bricolage de couleur coupé en lanières de 2,5 cm sur 10 cm
- Des ciseaux
- Des crayons-feutres ou des crayons de couleur
- Un calendrier
- Du ruban adhésif ou de la colle

Apprentissages

- Habiletés cognitives/raisonnement
- Motricité fine
- Arithmétique et calcul
- Imagerie mentale

Quoi faire

1. Choisissez une date particulière, comme un jour de congé ou l'anniversaire de votre enfant.
2. Aidez votre enfant à compter le nombre de jours qui doivent s'écouler avant cette journée particulière.
3. Coupez autant de lanières qu'il y a de jours qui doivent s'écouler.
4. Notez l'événement spécial sur une lanière de papier et numérotez les autres lanières en ordre croissant, en commençant par 1.
5. Montrez à votre enfant comment faire des anneaux en collant les deux bouts des lanières avec de la colle ou du ruban adhésif.
6. Choisissez la lanière marquée 1 et passez-la dans l'anneau précédent pour faire un nouveau maillon de la chaîne.
7. Continuez de la même façon en choisissant les lanières selon leur chiffre, par ordre ascendant.
8. Chaque jour, demandez à votre enfant d'enlever l'anneau portant le chiffre le plus élevé en le déchirant en deux. Ainsi, il saura toujours combien de jours il lui reste à attendre avant l'événement spécial !

Variation

Faites un collier en gros flocons de céréales ou en bonbons et laissez votre enfant en manger un tous les jours.

Mise en garde

Pour ce jeu, la colle convient mieux que le ruban adhésif.

Sans les mains !

Votre enfant est de plus en plus habile de ses mains. Faites-lui faire une tâche qu'il doit exécuter sans se servir de ses mains et voyez comment il se débrouille!

Matériel

- Les fournitures nécessaires pour accomplir une tâche, comme un gant de toilette pour s'essuyer le visage, une chaussette à mettre dans un pied, un sandwich à manger, etc.

Quoi faire

1. Choisissez une tâche que votre enfant peut faire sans se servir de ses mains. Sans être trop difficile, cette tâche doit tout de même représenter un défi.
2. Laissez votre enfant trouver un moyen de l'accomplir. Il peut se servir de ses dents, de ses pieds, de sa tête, et ainsi de suite.
3. Observez-le attentivement pendant qu'il cherche des solutions et complimentez-le chaque fois qu'il relève une partie du défi!
4. Lorsqu'il a terminé demandez-lui de dire: «Regarde, maman, sans les mains!»

Apprentissages

- Cause et effet
- Habiletés cognitives/raisonnement
- Créativité et imagination
- Motricité globale
- Résolution de problèmes
- Conscience de soi/image corporelle

Variation

Demandez à votre enfant de mettre les mains derrière le dos. Installez-vous derrière lui et passez les bras sous ses aisselles, comme pour remplacer ses bras. Demandez-lui de faire une tâche en se servant de vos mains, ce qu'il pourra accomplir en vous dictant les gestes que vous devez faire.

Mise en garde

Prenez soin de ne pas choisir une tâche trop difficile et veillez à ce que votre enfant ne pose aucun geste dangereux pour résoudre un problème.

Un peu de bruit

Les enfants adorent faire du bruit. Votre enfant s'amusera sûrement beaucoup à deviner les différents bruits que vous faites!

Matériel

- Des choses qui font du bruit, comme une sonnette, un chat, un robinet, un aspirateur, un téléphone, une machine à écrire, un train, un moteur de voiture, une chasse d'eau, et ainsi de suite
- Une table ou le plancher
- Un bandeau pour les yeux (facultatif)
- Un lecteur de cassettes et une cassette (facultatifs)
- Une pièce tranquille

Apprentissages

- Habiletés cognitives/raisonnement
- Écoute/discrimination auditive
- Imagerie mentale
- Interaction sociale

Mettez-lui un bandeau sur les yeux ou demandez-lui de fermer les yeux pour qu'il ne voie pas ce que vous faites.

3. Imitez l'un des bruits qui figurent sur votre liste.
4. Demandez à votre enfant de deviner de quoi il s'agit. Donnez-lui des indices, au besoin.
5. Continuez le jeu en imitant tous les bruits figurant sur votre liste.

Quoi faire

1. Dressez une liste de divers bruits qui sont familiers à votre enfant. Vous pouvez aussi enregistrer divers bruits sur cassette avant de commencer ce jeu.
2. Faites asseoir votre enfant à une table ou sur le plancher, dans une pièce tranquille, et demandez-lui d'écouter attentivement.

Variation

Découpez des images qui correspondent aux bruits que vous imitez. Étalez-les sur la table ou sur le plancher et demandez à votre enfant d'associer les différents bruits aux différentes images. Vous pouvez aussi lui demander d'imiter des bruits que vous essaierez à votre tour d'identifier.

Mise en garde

Évitez les bruits trop perçants qui peuvent effrayer votre enfant ou lui faire mal aux oreilles.

Ding dong!

Le contour des objets

Votre enfant peut-il reconnaître un objet en en regardant uniquement le contour ? Découvrez-le en faisant ce jeu amusant !

Matériel

- Divers objets au contour bien défini, comme un moule à biscuits, une fourchette, une balle, une figurine, une chaussure, une voiture miniature, un crayon, une brosse à dents, et ainsi de suite
- Du papier de bricolage ou du papier à dessin
- Un stylo-feutre à pointe fine
- Un sac de papier

Apprentissages

- Habiletés cognitives/raisonnement
- Acquisition du langage et du vocabulaire
- Imagerie mentale
- Résolution de problèmes/ raisonnement par déduction
- Interaction sociale

Quoi faire

1. Choisissez divers objets qui ont un contour bien défini.
2. Placez chaque objet sur une feuille distincte et tracez-en le contour à l'aide d'un stylo-feutre à pointe fine.
3. Empilez vos dessins et mettez les divers objets dans un sac de papier.
4. Demandez à votre enfant de venir dans la pièce.
5. Montrez-lui un premier dessin et demandez-lui de deviner de quel objet il s'agit. Donnez-lui des indices, au besoin
6. Une fois qu'il a bien deviné, sortez l'objet du sac et posez-le sur son contour.

7. Refaites le même jeu avec les autres objets.

Variation

Une fois que votre enfant a deviné de quel objet il s'agit, demandez-lui de remplir le contour que vous avez dessiné. Vous pouvez aussi laisser votre enfant tracer le contour d'objets et vous faire deviner à votre tour de quels objets il s'agit.

Mise en garde

Prenez soin de choisir des objets pouvant être manipulés sans danger.

Une tête en sac de papier

Votre enfant sera ravi de découvrir le monde d'un tout autre point de vue – avec un sac de papier sur la tête!

Matériel

- Un grand sac de papier
- Une table
- Des crayons-feutres, des crayons de couleur, des autocollants et d'autres garnitures pour décorer le sac
- Des ciseaux

Apprentissages

- Habiletés cognitives/raisonnement
- Résolution de problèmes
- Conscience de soi
- Conscience sensorielle
- Relations spatiales

Quoi faire

1. Étalez un grand sac de papier à plat sur une table, le fond du sac contre celle-ci.
2. Demandez à votre enfant de colorier et de décorer le sac de manière à en faire une tête, soit la tête d'un humain, d'un monstre, d'un robot, etc.
3. Découpez des trous pour faire les yeux.
4. Laissez votre enfant se promener dans la maison ou dans le jardin avec le sac sur la tête, les trous vis-à-vis des yeux.
5. Demandez-lui l'impression que ça lui fait de se promener avec une tête en sac de papier.

Variation

Pour que ce jeu soit davantage un défi, mettez le sac de papier sur la tête de votre enfant sans découper de trous pour les yeux. Surveillez bien votre enfant pendant qu'il se promène dans la maison ou le jardin, car il ne peut voir au-delà du bout de ses pieds!

Mise en garde

Débarrassez l'aire de jeu de tout objet dangereux et surveillez étroitement votre enfant pendant qu'il se promène avec son sac de papier sur la tête.

Ramasse les pailles !

Procurez à votre enfant l'occasion de perfectionner sa motricité fine en faisant ce jeu amusant!

Matériel

- Une table ou un plancher non recouvert de moquette
- Des pailles en plastique

Apprentissages

- Cause et effet
- Habiletés cognitives/raisonnement
- Motricité fine
- Résolution de problèmes
- Interaction sociale

Quoi faire

1. Installez-vous à une table ou sur un plancher non recouvert de moquette.
2. Prenez une douzaine de pailles en plastique et demandez à votre enfant de les tenir debout sur la table ou sur le plancher.
3. Laissez-lui lâcher les pailles et regardez-les s'éparpiller les unes par-dessus les autres.
4. Chacun votre tour, enlevez une paille à la fois sans faire bouger aucune des autres pailles.
5. Un joueur peut garder une paille s'il réussit à la retirer du tas sans faire bouger une seule des autres pailles.
6. Si un joueur fait bouger une autre paille en tentant d'en enlever une, il perd son tour et doit laisser sur la pile la paille qu'il essayait de ramasser.
7. Continuez à jouer tant que vous n'avez pas ramassé toutes les pailles.

Variation

Pour rendre ce jeu plus difficile, remplacez les pailles par des cure-dents!

Mise en garde

Soyez prudent avec les cure-dents, car ils ont le bout pointu.

Jean dit...

Jouez à ce jeu populaire avec votre enfant d'âge préscolaire – en le gardant simple, naturellement!

Matériel

- Une vaste aire de jeu

Apprentissages

- Habiletés cognitives/raisonnement
- Motricité fine et motricité globale
- Acquisition du langage et du vocabulaire
- Écoute
- Conscience de soi
- Interaction sociale

Quoi faire

1. Installez-vous devant votre enfant.
2. Dites les mots «Jean dit...», puis demandez à votre enfant de faire un mouvement avec son corps. Faites-lui une démonstration du mouvement en lui demandant de le faire.
3. Expliquez à votre enfant qu'il n'est censé suivre vos ordres que si ceux-ci sont précédés des mots «Jean dit...».
4. Après lui avoir donné trois ou quatre ordres, essayez de le piéger en ne disant pas les mots «Jean dit...» avant de lui donner un ordre. Il devrait refuser de faire le mouvement que vous lui ordonnez de faire parce que vous n'avez pas dit «Jean dit...».
5. S'il suit bien, continuez à jouer.
6. S'il se trompe, inversez les rôles et laissez-le dire les «Jean dit...».

Variation

Au lieu de dire «Jean dit...», donnez simplement des ordres à votre enfant tout en faisant une démonstration du mouvement que vous lui commandez de faire. Essayez de piéger votre enfant en lui donnant un ordre tout en faisant une démonstration qui ne correspond pas à cet ordre et voyez s'il se laisse prendre!

Mise en garde

Au début, adoptez un rythme plutôt lent pour que votre enfant ait le temps de comprendre les ordres, ce qui lui évitera des frustrations.

Un costume de super héros

Vous pouvez transformer tout enfant ordinaire en un super héros grâce à une serviette et quelques épingles de nourrice !

Matériel

- Une serviette ou un morceau d'étoffe de couleur vive, qui servira de cape
- Deux épingles de nourrice
- Des chaussettes colorées, des collants, une couronne de papier, un masque, des gants et un t-shirt à logo (facultatif)

Quoi faire

1. Réunissez le matériel dont vous avez besoin pour composer le costume de super héros de votre enfant.
2. À l'aide d'épingles de nourrice, attachez une cape ou une serviette au dos du t-shirt ou du chandail de votre enfant.

Apprentissages

- Habiletés cognitives/raisonnement
- Créativité et imagination
- Art dramatique
- Expression des émotions
- Acquisition du langage et du vocabulaire
- Conscience de soi/estime de soi

3. Laissez-lui ajouter d'autres accessoires à son costume, s'il en a envie.
4. Demandez-lui de trouver un nom au nouveau super héros qu'il est devenu.
5. Demandez-lui quels sont les super pouvoirs qu'il possède et s'il peut faire des choses que les autres ne peuvent pas faire.
6. Laissez-le s'exprimer et la journée sera réussie !

Variation

Transformez une boîte en cabane qui servira de forteresse à votre super héros !

Mise en garde

Expliquez à votre enfant qu'il joue à faire semblant et qu'il ne doit rien essayer de dangereux.

Que dis-tu ?

Lorsque deux personnes parlent chacune leur tour, c'est une conversation. Lorsque deux personnes parlent en même temps, c'est la cacophonie!

Matériel

- Deux magazines avec plein d'images
- Une table ou le plancher

Quoi faire

1. Donnez un magazine à votre enfant et choisissez-en un pour vous-même.
2. Installez-vous sur le plancher ou à une table et ouvrez vos magazines, mais ne laissez pas l'autre voir les pages que vous regardez.
3. Demandez à votre enfant de choisir dans son magazine une image qu'il vous décrira et choisissez-en une vous-même dans votre magazine.
4. Réglez une minuterie à 30 secondes.
5. Lorsque vous dites : «C'est parti», commencez tous les deux à parler en même temps de l'image que vous regardez.
6. Essayez chacun d'écouter ce que l'autre dit tout en continuant à parler de l'image que vous regardez.
7. Lorsque les 30 secondes sont écoulées, décrivez ce que vous avez entendu l'autre dire.
8. Montrez-vous l'image que vous regardiez chacun de votre côté pour voir si vous avez bien compris les propos de l'autre.

Variation

Racontez-vous des histoires basées sur un sujet donné. Suivez les étapes 4 à 8.

Mise en garde

Raccourcissez le temps à moins de 30 secondes si la frustration semble gagner votre enfant.

«Et la cascade arrosait tout...»

«... Le chiot aux yeux bruns...»

La carte au trésor

Votre enfant peut-il parvenir à trouver un trésor caché dans sa propre maison ? Une carte au trésor lui facilitera la tâche !

Matériel

- Des feuilles de papier de bricolage
- Des crayons-feutres
- Un prix ou une gâterie

Apprentissages

- Habiletés cognitives/raisonnement
- Habiletés à suivre des instructions
- Imagerie mentale
- Résolution de problèmes
- Relations spatiales

Quoi faire

1. Dessinez une carte de l'intérieur de votre maison.
2. Montrez-la à votre enfant et demandez-lui de se promener dans la maison en se reportant à la carte pour qu'il puisse voir de quelle façon les pièces sont représentées sur papier.
3. Cachez un prix ou une gâterie dans une pièce et indiquez sur la carte où se trouve ce prix ou cette gâterie.
4. Remettez la carte à votre enfant et demandez-lui s'il peut trouver ce que vous avez caché.

Variation

Laissez votre enfant cacher quelque chose que vous devrez vous-même trouver.

Mise en garde

Prenez soin de cacher le prix ou la gâterie dans un endroit qui ne pose aucun danger pour votre enfant.

Le volley-ballon

Laissez votre enfant dépenser son trop-plein d'énergie en frappant sur un ballon qui tombe sans cesse sur le plancher!

Matériel

- Une vaste aire de jeu
- Des ballons soufflés

Quoi faire

1. Trouvez une vaste aire de jeu où vous pouvez jouer avec un ballon sans risquer de heurter quoi que ce soit.
2. Lancez le ballon dans les airs en direction de votre enfant.
3. Lorsque le ballon touche le sol, demandez à votre enfant de le renvoyer dans les airs dans votre direction.
4. Essayez de garder le ballon dans les airs le plus longtemps possible en le frappant chacun votre tour.

Variation

Prenez chacun un ballon et essayez de le garder dans les airs le plus longtemps possible.

Mise en garde

Prenez soin de bien dégager l'aire de jeu pour ne pas vous heurter à quoi que ce soit.

Suis le fil !

Demandez à votre enfant de suivre le fil, ce qui l'obligera à faire toutes sortes de mouvements !

Matériel

- Une pelote de ficelle colorée

Quoi faire

1. Procurez-vous une pelote de ficelle colorée.
2. Commencez à dérouler la pelote de ficelle et fixez le bout de la ficelle à une poignée de porte.
3. Continuez à dérouler la ficelle en vous déplaçant dans la pièce et en l'enroulant autour de divers meubles.
4. Trouvez un endroit où vous arrêter et déposer la pelote de ficelle.
5. Emmenez votre enfant dans la pièce et montrez-lui le fil à suivre.
6. Montrez-lui le point de départ et demandez-lui de suivre le fil jusqu'au bout tout en enroulant la ficelle au fur et à mesure qu'il avance.

Variation

Prévoyez une petite gâterie ou un prix au bout du trajet.

Mise en garde

Évitez d'enrouler la ficelle autour de lampes ou d'autres objets fragiles.

INDEX

TABLE DES MATIÈRES

Achevé d'imprimer au Canada
sur les presses des Imprimeries Transcontinental Inc.